国家出版基金项目
NATIONAL PUBLICATION FOUNDATION

《三联经典文库》

第二辑

2012 年国家出版基金项目

三联经典文库

119

中国解放区见闻

[美]福尔曼 著 朱进 译

生活·讀書·新知 三联书店

图书在版编目(CIP)数据

中国解放区见闻 / 〔美〕福尔曼著；朱进译. -- 北京：生活·读书·新知三联书店，2014.1
（三联经典文库第二辑）
ISBN 978-7-108-04754-0

Ⅰ. ①中… Ⅱ. ①福… ②朱… Ⅲ. ①报告文学－美国－现代②陕甘宁抗日根据地－史料 Ⅳ. ①I712.55②K269.5

中国版本图书馆CIP数据核字(2013)第262691号

119 中国解放区见闻

责任编辑　戴云波
封扉设计　蔡立国
责任印制　李思佳
出版发行　生活·读书·新知 三联书店
（北京市东城区美术馆东街22号）
邮　　编　100010
经　　销　新华书店
印　　刷　北京市松源印刷有限公司
版　　次　2014年1月北京第1版　2014年1月北京第1次印刷
开　　本　787毫米×1092毫米 1/32　印张 7
字　　数　95千字
定　　价　26.00元

《三联经典文库》出版缘起

适逢生活·读书·新知三联书店八十华诞，为弘扬传统，接续文脉，回报读者，服务社会，我们决定策划出版《三联经典文库》。

1932年7月，生活书店在上海创办，此后，读书出版社和新知书店相继成立。本文库第一辑、第二辑所选图书，来自于这三家出版单位及其分支机构，以及1948年生活·读书·新知三联书店成立后的出版物，始于1932年，截至1951年，两辑各一百种。此为第二辑，涉及政治、经济、社会、军事、思想文化诸领域，涵盖专著、文集、散文、小说、诗歌、传记、报道等体裁，既有直面现实、追求真理、讴歌真善美、抨击假恶丑的原创作品，又有引介世界各国先进文化、传播新知、开启民智的迻译之作，真实记录了那一代知识分子的思考与探索、理想与愿景和对中华民族文化传承与创新所做出的努力与贡献。

本文库所辑入各书，多为名家名作，在版本方面，以初版一印本或经著译编者审定、修订、增订过的版本为首选，因此本文库又具有较为珍贵的版本价值和收藏价值。

本文库还将编选续辑，使之成为恢弘文化工程。诚挚希望读者给予批评和指正，帮助我们完善编选工作，再现三联经典作品之风采。殊为遗憾的是，由于年代久远，一些原著译编者及其后人未能取得联系并奉付稿酬，诚盼版权所有者与我们联系。祈愿三联前辈所创造的精神财富能薪火相传，为中华文化的伟大复兴增光添彩。

《三联经典文库》编辑委员会

2013 年 8 月

凡　例

一、本文库为重排本，由繁体字竖排版改为简体字横排版。

一、以忠实于原作、整旧如旧为编辑原则，对当时使用的专有名词、外文译名，以及民国时期的语言和特色予以保留。

一、原书注释如旧，编者所出的注释，均以“编者注”标明，以示与原书注释的区别。

一、对原书残缺或字迹漫漶之处，以□示代。

一、对繁简文本转换时的“如右”、“见左”一类，对应改为“如上（前）”、“见下（后）”。

一、对原书中各种错讹脱衍之处，直接订正，不再以其他符号标示。

一、对数字、标点符号的用法，在不损害原文语义的情况下，做必要的规范。

一、本文库各书均前插原书书影、原书版权页和文库版“本书出版说明”。

一、本书出版说明的撰写，以客观中立为原则，扼要介绍本书的内容、版本流转、著译编者的情况。

本书出版说明

本书系美国著名记者、专栏作家哈里森·福尔曼于抗战末期冲破重重阻碍，从国民党控制下的重庆一路北上，到达延安及中国共产党领导的华北抗日根据地进行战地采访的见闻实录。通过亲身经历，福尔曼切身体验到了在陕甘宁边区，即解放区波澜壮阔的人民战争及在政治民主、经济建设等方面所发生的深刻变革，也由此对当时的国民党政府一味阻挠进步势力的成长、消极抗战等行为发生了深刻的怀疑与质疑。

本书由重庆学术社初版于 1946 年 2 月。此次出版，即以此为底本。

本书作者哈里森·福尔曼 (1898-1978)，美国人，1898 年出生于美国威斯康星州密尔沃基市。1929 年获得威斯康星大学学士学位。1930 年首次来中国，三次前往令世人望而却步的西藏高原采访，于 1935 年出版了《被禁止通行的西藏》一书，从而成为美国有名的探险家、摄影家和战地记者。受埃德加·斯诺的影响，他对“红星高照”的中国西北地区极为向往。1937 年“七七事变”前夕第一次抵达陕北苏区，采访了正准备奔赴抗日前线的中国红军。1943 年 11 月，他率先向国民党当局提出去延安采访的要求，各国驻华记者纷纷响应。经过他们不懈的斗争，国民党中央宣传部于 1944 年 4 月 10 日被迫同意组团的请求。随后即在重庆组成了包括福尔曼在内共计二十一人的中外记者西北参观团。福尔曼所写的《来自红色中国的报告》一书，把他在边区数月的见闻和八路军对日本侵略者作战的事迹写成故事，文图并茂，异常生动。史沫特莱在美国《新共和周刊》上撰文，对此书作了高度评价，被称为斯诺《西行漫记》的续篇。

生活·读书·新知三联书店

2013 年 8 月

重庆学术社 1946 年 2 月初版书影

中國解放區見聞

每冊定價國幣　　元

著　者：美·福爾曼

譯　者：朱　　　　進

發行者：學　術　社

重慶臨江路

經售者：各大書店

原书版权页

目 次

柳亚子先生序

中国的八年抗战，依靠了大后方人民的血汗，更依靠了敌后解放区人民的血汗，终于在苏联红军开到了东北以后，完全胜利了。在八年抗战中间，大后方人民，可歌可泣的事情太多，却还很少有人来记载着。解放区呢，幸运得很，不但有自己的作家来纪载，更有友邦的作家来著书立说，传播中外。这部国际友人福尔曼先生的中国解放区见闻，也就是其中之一吧！

解放区人民的苦斗，不但要对付敌人，同时也要对付一切国内顽固落后非民主的法西斯的分子，那当然是非常艰苦的。一切交通的封锁，经济的封锁，文化的封锁，到今天讲起来，还是言之有余痛吧。靠了国内和国外民主的潮流，靠了各阶层民主人士的牺牲奋斗，终于公开了政治协商会议，终于双方下了停止内战的命令，终于执政当局发出了四项政治上的诺言。那么，以后的解放区，应该成为民主自治示范区，应该成为国内最先实行三民主义的实验区，大概不会再受到各种封锁的痛苦，和各种顽固落后分子的围剿吧。纪念旧时的奋斗，开拓方新的天地，对于这部《中国解放区见闻》的编译和出版，我是非常高兴地祝颂它，祝颂它能够成为新中国进步道路上的一块纪念碑！

一九四六年一月十六日 · 亚子于上海

一　重庆的缄默

中国为自己的生存对日本的绞杀式封锁进行了数年战争，但是，五十余万的中国最精锐军队却作对内封锁之用。这的确是世所罕有的奇观，这便是中国再爆发内战的先兆。

我们都知道那个封锁的存在，那已成为一个公开的秘密，对于驻在重庆的外国记者那更是一件只可私语而不可公开谈论的怪事。我们外国记者谁也不知道封锁线里的真相。我们除了引用蒋委员长或其他中国政府高级官员们谴责共产党时所说的“强占国土”、“攻击国军”、“阻碍抗战”等骂言之外，在我们的任何快报中绝不许提及共产党一个字。这种办法自然而然地激起我们对共产党的兴趣。无论从那个角度看，我们外国记者既不是共产党也不是共产党的同情者。中国共产党宣称他们在华北及华中掌握了九千余万的民众，这个数目几乎等于美国人口的四分之三，只这一点中国共产党便令人感到惊奇。在过去五年间，中国政府从未允许任何记者到共产区。我们曾屡次请求中国政府允许我们去访问共产区。中国政府对我们虽未断然拒绝过，但是，却始终搪塞地说："等一等"，"现在不方便"，"情势紊乱"等遁辞。

在封锁线里究竟发生着什么事情呢？中国共产党的确像中央政府所描写的那样凶恶吗？他们是叛变地攻击中央军吗？他们与南京伪组织勾结吗？他们压迫民众吗？他们逃避对日作战吗？他们与俄国共产党有什么关系呢？他们在日本与国民党的双重封锁之下怎样处理一切呢？国民党与共产党的基本异点是什么呢？而且和平解决的可能性又是什么呢？他们在对日战争中究竟在做及能做些什么呢？从纯正的新闻立脚点，这些以及其他剀切的问题都需要根据目击事实与实在事实的回答。但是，在共产党继续被封锁的情形下，我们便无从有机会得到这样的回答。

去年春某日，政府发言人在外国记者招待会上答复我们的问题时，公然地否认中国境内有任何封锁共产区的封锁线。我们马上就抓住了这个漏洞，我们作一张直接呈给蒋委员长的请愿书，驻在重庆的全世界外国记者在这张请愿书上都签了字。在下一次的外国记者招待会上，我们把请愿书正式地公开地交给政府发言人请他转呈蒋委员长。使我们大吃一惊的是：蒋介石将军竟同意我们去访问共产区，而且我们还是以中央政府宾客的资格去访问。不过，我们等了好几个月才实际地由重庆出发。

从重庆到宝鸡乘卡车大汽车需时一个礼拜或一个多礼拜，在中国后方卡车与大汽车时常抛锚，有时几分钟便可修理好，但是，有时需等好几天才成。坐飞机两小时便可到宝鸡。我们得到了特许飞行，六位外国记者与十五位中国记者坐一架由美国人驾驶的大型道格拉斯DC3飞机由重庆启程。我们被公称为“西北参观记者团”。

从宝鸡换火车东行，大约在夜半我们的特别快车到了西安。在灯火辉煌宫殿式的西安车站，有一百位左右的西安名士在欢迎我们。宾主经过了一番介绍及交换过名片之后，我们被接到豪华的西安招待所。我们在西安过了四天很有趣的生活。因为我们是蒋委员长的宾客，所以西安地方政府官员真是不知道如何款待我们是好；因为我们是政府的客人，所以他们应给予我们一切的便利与帮助；因为我们是眼光锐利的新闻记者，所以我们也许会看见他们所避忌的事而得到坏印象。因此之故，在形式上的交往中彼此都是笑容满面而且更非常客气，但是，在暗地里西安的官员们却监视着我们的一言一动而把它记录下来。以后我们才知道：那些顽强地拉我们坐车的黄包车夫都是被特别派到招待所的 ×× 分子。我们拒绝坐他们的车的时候，他们便到处尾随着我们。我们温和地向他们提出抗议之后，他们才一哄而散。黄包车夫散去之后，随后便来几个身穿普通衣服的特务，他们都骑着脚踏车，等我们在街上随便坐车时，他们便跟在我们后头。我们以和悦的态度观看他们的动静，有时我们对他们笑一笑或逗他们一下。他们一点也扰乱不了我们的心绪。我们不能断定所有这些特务的行动究竟是出于 ×× 命令呢或是出于素与 ×× 当局采同一步骤而闻名的西安地方政府的指令呢。

有一天当我走进招待所的时候，一位私人信差递给我一封信，这封信是用英文写的，我把它一字不漏地抄在下面，但是，因为这封信的签字是发信者的真名，所以我只把它略去。[1]

初看这封信虽像是半狂人所发出，但是，因为它充满了特别情报，所以绝不能置若罔闻。

我们在西安依照各机关的重要性顺序地作了四个正式武官访问。首先我们访问胡宗南司令部，其次为陕西省主席官邸及国民党西安支部，最后为临时国民参政会。胡宗南司令部很豪华且很舒适。被指定的接见人依照官阶挨次排列在西太后于义和团之变时逃出北平到了西安所在的精致的皇宫，一直排到一个石头地、纸窗户、设备朴素、大小约有十五平方尺的屋子里。在这间屋子里有三位长胡子的临时国民参政会老代表迎接我们。他们都表现了一种局促不安的表情，他们恐怕因一时的不小心而说错了话。

在司令部，胡宗南的参谋长罗泽闿出来招待我们。他说自己是胡宗南的代表发言人。他穿一双高过膝盖的

[1] 译者附注：这封信相当长，暴露了许多详情，但因此只好不译。这是对读者很觉抱歉的。

马靴，及一身漂亮的军服，他曾扈从蒋委员长出席开罗会议。他虽然十分恳切地款待我们，但是我们马上就嗅出了一股潜在的敌意，他似乎憎恶对我们这些管闲事的外国人表示亲切。

使我们吃惊的是：罗泽闿竟坦白地承认中国有封锁共产党的封锁线。他把“封锁”不叫“封锁”，而美其名曰“包围掩护区”。他举了很多理由替自己辩护，第一他坚持地说共产党不服从军令，共产党军队在名义上是受第二战区司令长官阎锡山的直接指挥，但是他们拒绝在指定的地方驻防。他们违抗阎将军的命令，恣意渡过黄河东岸非法扩张地盘。此外他们所到之处立即驱除中央政府或国民党的官吏而代以苏维埃组织。关于抗战，他们所采取的政策是“不打硬仗”、“敌进我退”。这种现象在河北、山东两省已层出不穷，在这两省共产党故意退出让日本人进来。在过去六年间共产党从未与敌人打过一次仗，所以期待他们今后与日本作战那更是妄想。你们所乐于称道的“封锁”并不是封锁共产党而是封锁日本军，因为敌人说不定就会从无抵抗的共产区来攻打西安及中国后门。

这的确是一个怪诞的说明，而且也是一个使有智慧的我们不能置信的说明。

在省主席官邸，祝绍周也承认中国境内有封锁共产党的封锁线。他镇静地说:“那条封锁线是一条‘大沟’。隔不远有一个‘小房子’，每个‘小房子’有数十人把守着。”他强调地说:“这条掩护线为防止共产党非法扩张领土是非常需要的。共产党顽强地扩张他们的土地，一直到中日战争他们的统治区域已三倍于昔日。”

我知道祝绍周所说的“共产党扩张领土”是百分之百地不确实，因为在一九三七年中日战争爆发数月前我曾访问共产区一次，当时的共产党的统制区域的确比今天的大，从那时起，中央军便加紧地把共产党压缩回去了。

祝主席责备共产党，说共产党杀戮非共产党；当中央军与日本军作战时叛变地攻击中央军，贩卖鸦片，边区三分之一的最肥沃的土地都种了鸦片。这都是毫无根据的辱骂。我在边区整整遨游了五个月，但是，我未看见任何形式的鸦片形迹。

二　那是集中营吗？

我们曾听说在西安有一个特别训练营，那是一个为从共产区出来的人们而设的政治监狱，那是集中营吗？所有的回答都一致地说那不过只是有些人们志愿进去改造自己的思想，准备走向新生的所在而已。

我们请求去参观，西安当局踌躇了两天然后终于同意了。在我们去参观的头一天晚上，我们读了注在节目单上的“注意”，内容是：

> 劳动训练营由军事委员会建于一九三九年冬，目的是给予由共产区逃到西安来的无家可归的青年以短期训练。由劳动服务，青年们学习生产技术及经商之道，以便他们能参加国家战时工作。劳动训练营内有经理班，化学工业

> 班，政治班与工场。营中的训练政策，管理方法，“食住以及其他诸种条件与政府所办的其他训练机关相同”。

我们在一个天朗气清的午后坐一辆豪华的特别汽车出了西安西门直赴该营。它位于飞机场附近，四面围以高墙，有兵把守着。劳动训练营已为我们准备妥当，墙上树上都贴着红的或黑的标语，从屋檐到房檐也都用绳子挂着标语。这些用英文写的标语有“欢迎西北参观记者团！”“我们要为和平正义民主而战！”“打倒法西斯！”等。每个翻译员都像水蛭一样地寸步不离地跟在我们外国记者后面。劳动训练营显然地是经过了一番洗刷，墙上的白粉还没干呢。

我们开始在营内巡游，房子虽然密一点还不算太坏。每件东西都是崭新崭新的。毛巾，被单，手巾以及学员们所穿的制服也都是新的，他们的头都剃得溜光，与被太阳晒黑了的脸成对比，脑袋闪闪发光。我们从窗外注视着教室，里面的学生们，他们整整齐齐地坐得又挺又硬，一点也不理会我们。他们聚精会神地听教师讲古代史。我们的奇突的出现一点也不能惹他们注意。

我在操场上走了一圈，然后回来参加茶会，翻译员始终跟在我的后头。当我走过方才那个学生们聚精会神地听古代史的教室时，我们发觉他们已下了课，因为教师已不在教室里，学生们又乱讲乱谈，他们大概是在讲我们。我突然站下看着他们，一时之间他们竟有点惊惶失措，但是不一会儿他们就恢复了原来受过训练的好学生姿态。我进屋坐下，打算与他们谈谈，但是他们却有些局促不宁，他们看看我，再看看翻译员，他们用这种眼光给我一个暧昧的答复。我耸耸肩，不得已离开了他们。

在这里我要把我的记述先提前一步，我向读者报告一下我与两位青年间的一段有趣的谈话。几个月后我到延安时，这两位青年来访问我，他们一位叫王尔明，一位叫罗超英，都是二十岁左右的青年。我们访问西安劳动训练营时，他们都在那里。他们不肯讲他们由劳动训练营逃出的原委，因为他们怕连累帮助他们脱逃的朋友。但是他们对我暴露了劳动训练营的内幕，以及特别是当我们访问该营时的情况。

他们首先告诉我他们进劳动训练营的经历。一九四四年春老王是西安某防空学校的无线电生，他给一位朋友写封信，里面提到苏维埃新宪法。其实这并不是什么大不得了的事，不过只是他对于一本书感觉兴趣，在西安书店里买一本读一读而已。邮政局检查了那封信，然后把它送到陆军司令部。其间老王因特别任务已赴天水。一天，夜里有两个不速之客闯进他屋子里拿着手枪逼他跟着走。以后他就被关在一间单独禁闭室里，谁也不审问他，谁也不而且也不可能告诉他为什么被捕。以后他又被押赴兰州，关在政治监狱里。两个礼拜后，他被提到一位姓赵的上校面前，这位赵上校凶狠地审问他为什么研究苏联新宪法，这时老王才恍然大悟被捕的原因。当然他否认自己是共产党的间谍，他说他从未到过共产区，并且他更申诉他所以对苏联宪法感觉兴趣，就是因为国民党要结束训政，在各方面都掀起讨论宪法的热潮，自己也要研究研究宪法究竟是什么东西。

赵上校下令鞭打并给他上刑逼他招供。这种拷问一直继续到一九四四年四月，然后他便戴上镣铐被送到西安劳动训练营。他不知道服徒刑的期限，他也不敢问，因为他恐怕再被关进单独禁闭室里。

罗超英是我在延安遇到的另一位逃狱者，他从十三岁起就在东北军里服务，“七七事变”时他逃出东北加入林彪的红军。一九四〇年他随着林彪的参谋长陈将军为军务赴新疆。陈将军在新疆因病入院，老罗也与他在一起。当他们于当年十月由新疆回来的时候，两个人就在西安被捕了。西安当局不承认他们的一切证件，硬说他们是间谍。他们的军服有点出奇，很令人注目，他们虽然解释他们的军服是俄国料子而且是在新疆做的，但是西安当局一点也不信。

罗超英与陈将军被关在单独禁闭室里几有三年之久。在狱中他们时常被拷打上刑并且提到各式各样的高官面前迫令他们招认所有的罪状。结果，陈将军因受伤过重失却意识死在狱里了。年轻的罗超英，便被提到一个法庭被判无期徒刑，关在西安劳动训练营。

在劳动训练营里老王与老罗每天需做一些手工品。那里的训练非常苛严，犯过就被惩罚一顿残酷的体刑。在课堂里他们念三民主义，蒋委员长言论集，中国历史及所谓“叛党”——共产党与“叛军”——共产军的罪状。

关在营里的青年除了同意干反共的工作外一辈子就别想被释。在营里，“共产党”虽被称为“奸党”，但是在我们去访问的时候，那里的囚犯们早已得到了不许对记者团称“共产党”为“奸党”的命令。

老王一面笑一面说：

> 当你们访问劳动训练营的时候，我们都得了一套新制服，我们真喜欢极了，因为我们实在是需要一套新衣服啊！训练营当局告诉我们好好保存那套新制服，但是，新毛毯及其他东西当你们离开训练营马上就送回陆军七分校了。因为这些东西都是专门为应付你们的眼光从陆军七分校借来的。

当记者团访问劳动训练营的头一天，那里的学生被分成许多小组，每组有一个组长来指导他们练习针对“问题表”的“正确答复”。训练营预先占卜了我们记者所要问的问题，然后把这些认为可能当问的问题用誊写版印好分给每个学生去练习。所以当我们向他们提出问题的时候，我们便得到一套已事先准备妥当的回答。学生们事先都被警告过：谁要不按照准备好的公式去回答，他就要得到一个严重的结果。

老王、老罗更告诉我很多其他的珍闻，因限于篇幅我不打算在这里发表。在训练营时，他们二人仅仅能从远处看我们记者团，他们那组中的一个孩子要不顾自己的结果将劳动训练营的黑幕暴露给我们，但是因为他距我们太远，所以终没得到机会。可是也正因为如此，他才得以安全无事。原来，被训练营当局信为能说几套已制造好的谎语的学生才被排在记者团周围，其余的，也就是不被信任的学生们，都被小心地摆在大后面了。

三　踏进赤区

在一个夕阳西下的午后，我们一溜一滑地走下一条乱石满地左弯右曲的羊肠山路而来到黄河渡口，我们在渡口等着那些已筋疲力尽的落伍者，约一小时左右，大家都到齐了，然后我们便搭上两条平底船开始冲渡黄河激流。由于整天在烈日下跋涉的缘故，我们实在疲倦极了，在船里我们竟似睡非睡地在不知不觉之间就进了共产区。在进入共产区之前，我们沿途备受热烈欢迎接待。可是因为我们是从旁门进了共产区，所以并未受到同样的欢迎与接待。三位表情沉默的军官从渡口的小村庄——凉水崖出来迎接我们，把我们安排在一个农庄里。

翌晨，一位军官带着三个卫兵来正式欢迎我们。他们从延安出发翻山越岭已不停地骑行了两昼夜，但是他们还是精神十足，好像是在邻居的农家过的夜。他们四位都穿着同样的蓝色军服，戴着同样的软军帽。除了在领尖上带着红布条之外，他们没佩带任何徽章。三个卫兵好像好莱坞电影中的恶汉一样，后屁股吊着匣枪，肩上扛着来福枪，后背背着日本武士的军刀。他们三人虽然不对他们的长官敬礼，并且很泰然地与他在一起，但是，这些武器就是他们尊敬他们的长官的证明。

在最初见面的一刹那，这位军官并没有什么特别惹人注意的特征。他很少开口也没什么虚伪作风。几小时后，我们才知道：他就是共产军里很负盛名的王震将军。他才三十七岁，他是一位经过了内战与抗战有十七年战争经验的老斗士，他的矮小而雄劲的身上竟刻着七处战伤的创疤。最初，他虽然好似有些阴郁与马虎。但是当我们在一起赴延安时，我们就渐渐喜欢他了。当我们大家都免去了初见面时的客套之后，我们便发觉了他是一位爽快的青年，并且像小孩子似的对我们的照相机，打字机或其他的新奇装置感觉惊奇。他笑的时候露出牙齿，他不停地吸着一支有斜度的外国式烟斗，这支烟斗的烟杆已经断了，他把它用布缠得像他那只光着脚穿草鞋的大脚指一样粗。他在肩上挂着一幅日本造的大望远镜。他顺口说："这个望远镜是在一次小战斗里从一个日本军官得来的。"我们后来知道了他所说的"小战斗"就是：有一次他埋伏了一千五百名红军准备攻击在内蒙公路上驰行的日本运输队。当拥有一千名兵、五辆战车及四十五辆军车的日本运输队触发了公路上地雷的时候，王震便率领他的部队开始攻击。日本军见势不利拍电求援，马上就来了十五架轰炸机投下催泪弹与窒息弹。王震部队因为当时没有防毒面罩，所以不得已便被迫撤退了。他们打死了七百名敌人，自己也死了三百六十人。王震当场活捉了一个日本军官，那个望远镜就是这个日本军官赠给他的。原来共产党的俘虏政策是绝不扣留要求返回本队的敌人，所以那位日本军官被释放了，他把望远镜送给王震作为临别纪念。那位军官回队后便被枪毙了，因为他当了八路军的俘虏，伤了日本军的尊严。

王震说：

有一次我们捉住一个日本少将，他不愿回去受处罚，所以就跟我们一起走了。敌人得

到这个情报马上派轰炸机来袭击我们，敌机发
觉了我们是停在一个村子里，所以便向全村投
弹，那位少将便被炸死了。

我们愈向西行则土地愈呈荒凉，但是我们，若一眼望去便能看见一块块的地毡似的麦田，玉蜀黍田及棉花地很危险地黏在险峻的山坡上，这赤裸裸地表现了当地人民的勤勉与决心。

当我们走近南泥湾地区时，我们看见每组以十二个人或十二个人以上所编成的军队正在田里做工，他们一面挥着鹤嘴锹、锄头或铁锹，一面合唱着。他们依照普通军队的操典将步枪、机关枪、手榴弹与战壕炮摆在旁边，所有这些武器差不多都是日本造，都是在战斗中从日本军掳获来的。这些武器就是他们自始至终是能打仗的战斗员而不是普通的农民的无言证明。

我们在王震的会客室里过了夜。第二天早晨访问三五九旅七一八营。营长名叫何林。何林的部队，戎装整列等着我们检阅。我在中国已住了很久而且更看见过很多中国兵。在我所看见过的中国兵中，这些兵几乎是营

养最好的健儿。何林部队绝没忘记他们是兵而不是农人。在冬季或播种与收获之间的夏季，他们实行严格的军事训练。此外他们更学习读书写字并听取国内情势与国际情势的讲义。他们自己更组织了剧团，以为游戏或休息。

我们去访问三五九旅陆军医院。刻在悬崖里的一列列的洞穴就是医院的病房。对于我，这的确是一个沉痛的经验。医生与护士虽然尽最大努力照顾伤兵，但是他们只有极少极少的药，也可以说几乎没有药医治伤兵。药局里整整齐齐地摆着一排一排的贴着拉丁名字的西药药瓶，所有这些药瓶都是空空如也。外科手术用的器具，都是用日本炸弹破片做的。这些器具虽然是极原始式的，但是这就是他们所能得到的最精良的器械了。

古语所说的“当兵就是当和尚”不能适用于王震的部队。毛泽东与朱德都一致告诉王震去鼓励他的部下结婚并帮助他们树立家庭与未来。王震的三五九旅已有四百多人结了婚，每年大约出生一百名左右婴儿。王震自己在一九三七年也结了婚，他的太太是东北人，北平大学化学系毕业。她已生了三个儿子。关于这点，王震是非常自豪的。

四　延安

不怕轰炸的洞穴都城——延安，耸然屹立，成为边区民众的决心与刚毅的象征。延安城已有三千年的历史。古时它是防卫北方野蛮游牧民族进侵的重要城塞，经过几世纪的荒芜及一百年前的回族大叛乱，延安已废颓了。那次回族大叛乱，荒芜了广大的地区，屠杀了数百万中国西北民众。自那次叛乱以后，延安的城墙虽与昔日无异地残留下来，但是市街却经了一番重建。至一九三八年止，延安又渐渐地复兴起来。但是自一九三九年起，由于日本要发泄对共产党的愤恨，所以便不停地轰炸延安。因此延安便被炸毁了。日本结束了轰炸之后，昔时的延安便成了一片瓦砾堆的废墟了。

延安的毁灭既未驱走共产党政府，也没赶散延安民众。他们只逃到延安城外，在延安峡谷侧面的数千尺的峭壁上凿深深的洞以安居。所以今天的延安真是一座名符其实的不怕轰炸的洞穴城市。洞穴一层层地排在悬崖上，每个洞穴都有一个弓形门，每个弓门又皆以一道扶壁互相隔开。由洞穴前的雄壮的层道，人马可以来回通行。险阻的小路从一条层道通到另一条层道，把上下的层道联结起来。每个洞口前都有一小块平地，用以养鸡养猪种菜或作儿童们底游戏场，间或那里更有一条晒衣服绳子。从上面向下望，可以看到在悬崖下的峡谷里有很多妇女在延水岸旁洗衣服。

我们住在延安招待所，我们每个人住一个舒适的洞。这些洞比重庆记者招待所好得多了。我们在延安见着两位外国人，一位是林德生，另一位是马海德。林德生是一位身材高大，秃头，戴眼镜，三十多岁的英国人。他于一九三一年由牛津大学毕业，以后便任燕京大学教授。一九四〇年他曾在英国驻重庆大使馆新闻处做过事。因为这种工作不适合他的个性，所以他又回到北平燕京大学。珍珠港事件爆发时，他由北平脱走，逃到在北平附近西山一带活动的共产党游击队里。林德生虽然是燕大的历史与英文教授，但是，他却精通无线电操纵术。

共产党游击队请他住下，制造并修理他们的装备，及训练他们操纵无线电的方法与技术。他在前线逗留了半年多。其间他对日本人玩了很多把戏，他特别对于捉日本人或杀日本人感觉兴趣。他在我们到延安前一个礼拜也到了延安。

马海德是美国人，生于布法罗。在北卡罗来纳及瑞士读的书。在瑞士得了医学博士学位。他已经与共产党共处了七年。他的中国名叫马海德（他拒绝说出他的美国名），因此他得以一心一意地献身于中国共产军的医务工作，他也是三十五六岁，他充满了孩子气的幽默与热诚。他毫不犹豫地放下别的事情来当我们的翻译。他是中国共产党的热烈的拥护者。他说：

在这里我所最喜欢的一件事，就是这里绝对没有职业上的妒嫉。这大概是因为这里既没有钱财的诱惑，又没有争夺特别光荣与特别宠信的斗争。我们都像一个大家庭中的一员在一起工作。满足与失望大家都要负担。这种现象能使为人类服务的科学——医学，恢复到原来的本面目。

马海德在延安近郊的白求恩国际和平医院工作，这个医院也是由一列洞穴所造成。依照诺尔曼·白求恩博士的名而取名曰“白求恩国际和平医院”。白求恩在第一次大战时是加拿大皇家空军的军医总监。一九三九年在中国共产党军队里的工作中死去，医院是由孙夫人发起建造的，同时由外国募集的资金也帮了一部分忙。白求恩国际和平医院可以说是举世无双。这不仅是因为它现在做着伟大的事，而且是因为它不用药品便能做伟大的事。由于日本及中央政府的双重封锁，在过去三年间，除了我们这次在旅行袋里从重庆带给他们一些药品之外，他们从来就没从外界得过些许的药品补给。医院里的职员们是一群目光闪闪有才智的运命共同者。适当设备与药品的缺乏绝没使他们心灰意冷。一切的缺乏只刺激他们去发明巧妙的对策与适当的代用品。他们用科学方法化验中国的草药与其他药品。他们发见汉药不但可作西药的代用品，而且的确比西药有更良好的质料。他们所保存下来的少许西药都被藏在一个抽屉里。他们的宝贝似的硫璜性丸药必须在极紧急时，而且必须经过全医院职员会商之后，才能动用。

受过西洋教育穿草鞋的中国医生与护士，在洞穴实验室里用窗户上的破玻璃做显微镜片。全医院里只有一架显微镜，而且那还是上古式的老古董。医院里各种器具有很多是从日本军抢来的，摆在简陋的手术室里的两折金属手术台就是其中之一。做血液沉淀试验时，他们将两个玻璃管列在一个架上，然后用米毫尺测量它的沉淀速度。土产的药膏贮藏在不通空气的土瓶里。他们用当地产的棉花做药棉，药布就是用医师及护士们所手纺的线制成的。职员们也自己种药，从很远的山谷自己挑水，并且还都自己洗衣服。由于麻醉剂及葡萄糖等重要药品的缺乏，所以他们必须时常施行输血，输血者通常都是医院的职员。全医院里既没有钟也没有表，他们用恰恰能烧一小时的香棒或滴漏测时间，一个人站在香棒或滴漏的旁边打着小铃报告时间的经过。

从医院渡过山谷，便是延安医学院。院长叫王斌，他是一位睿智的心地戆直的医学博士。我们访问延安医学院等时，那里有二百一十名学生，其中有五十四名女学生。教科书都是由日文、英文或德文翻译的手抄本。在眼科临床方面该院有从敌人抢来的检眼器。因为缺乏外科手术器及其他的必需用品，所以他们的学业也相当受挫。他们虽然会下诊断，但是却不会处方。他们用普通的修指甲剪刀做外科手术；手术照明灯是将美孚油行的油灯放上一个德国罐头的锡盖，里面贴上日本香烟锡纸。因缺乏蚁酸，所以尸首被腌在一个桶里以供解剖。

五　混合经济

今日的边区并未实行苏维埃共产主义的基本原则——集产主义，除富于修正色彩的民主形式的变工队及合作社（合作社是以私有财产为基础，以自愿加入为原则）之外，边区政府更利用各种形式来组织一个散在个人主义的落后的农村经济。大约边区全农业劳动者的四分之一以上即一万人以上都加入了变工队及雇人团。两万左右的民众都有组织地加入了消费合作社，运输合作社，生产合作社以及信用合作社。十三万七千名以上的妇女也都有组织地加入了纺织合作社。

变工制度在增加生产方面证实了它的价值。在边区虽然每个农民都保有他自己的一小块土地，但是在一瞥之下，变工却类似苏联的集体农场，更酷似美国的农产品收获机。所谓“变工”，就是八人或十二人的邻居集在一起互换劳动力。大家今天耕甲的田，明天耕乙的田，后天耕丙的田，如此继续下去，直至全部田地皆被耕完为止。锄地，撒种，除草及收获都是依照合作方式进行。假使某人有比他的邻居较多的地，那么便依田地面积上的差别而施以补助的办法，如多拿出一个人的劳动力或向合作社缴纳额外的粮食。没有人被强制地拉进变工队。但是因为变工队本身证明了自己的有益性，所以便很少有人拒绝加入。主妇也参加变工队，轮班给变工队做饭。因此，别的主妇便得以有时间依合作的方式去纺织。

变工队的创始者及证实它的价值的便是吴满有，一九三九年吴满有与他的邻居就证明了集体劳动比旧劳动制度有效率。以前对变工加以怀疑的农民现在也都开始加入了。变工队的现在的口号是“向吴满有看齐”。吴满有是今天边区的第一名劳动英雄。现在在边区总计有一百八十名农业、工业、军事、文化及运输等英雄。吴满有是第一个得到英雄称号的人。边区政府在一九四二年将英雄称号戴在他的头上。他的肖像，与毛泽东、朱德及其他边区政府高级将领的肖像光辉夺目地一齐挂在美术馆、民众馆以及各种公共场所里。吴满有现年六十六岁，身体颇壮，红光满面，有一副愉快的眼睛及富于表情的笑，更有一绺白胡子及发亮的秃头。他既不能读，也不能写，可是他却有很多关于农耕法的卓越的知识，及改良或适应农耕法的大本领。因为他能比普通的农人多耕三倍的田地及多收三倍的农产品，所以边区政府给了他第一个英雄的称号。吴满有及其他的劳动英雄不但只受一般民众的崇拜，而且政府当局更约请他们参与所有的公共机关及国家机关。在边区，他们有与边区政府高级官员及军事将领同起同坐的地位。

对抗封锁的使边区自给自足的生产运动于一九三九年开始了。一九四二年生产运动的规模更形扩大。今天，它已普及全华北及其他归共产党管辖的抗日根据地。由最下层的农民至最上层的边区政府人员，每人都有一个生产计划，将自己于一年中所要生产的梗概写出。毛泽东在他的一小块地里种了洋葱，朱德种了黄瓜菜与白菜。一般民众对协助生产运动所表示的热烈，已超过了他们的先驱者的最乐观的预测。

在某种程度，谁都参加生产运动。学生，公务员，以及工场劳动者都各有一架纺车及一块地，借以生产棉线及青菜。连照顾我的小孩子都将他的余暇消费于纺车上或窗外的一小块菜园里。

在边区最自豪的英雄便是由“二流子”改造成的英雄。在边区对人家叫二流子是最富于侮辱性的称呼。为生死问题的自给自足而奋斗的边区人民，对于二流子当然无忍耐可言。二流子不仅是社会的寄生虫，而且他们的任性的习惯、懒惰、赌博、欺诈、说谎与偷窃是使别人堕落的根源。所以二流子在共产党统治的地方，在各种社会层里，都没有立锥之地。一九三五年共产党到陕北时那里有七万二流子。一九四三年边区政府费了九牛二虎之力才改造了五百五十五名。但是因为边区政府决心彻底地解决这个问题，所以便开始一个广大的改造二流子运动。一九四四年初改造了三千九百七十人。有些顽固不悟的二流子反而反抗这种运动。当改造二流子的种种手段，如劝导、收买及威吓等都无效时，边区民众便随意地制定了法律，在每个二流子的胸前都挂上一个写着“二流子”三个字的白色徽章。这种是在改造二流子运动中的嘲笑、羞辱与不停的藐视的标识，以使二流子们自动改造。同时边区政府又采取了巧妙的办法，在最近一次的劳动英雄大会上，政府选了五名最顽固的二流子参加大会。这五位二流子以为自己要受处分或公开的侮辱，所以在最初他们一致拒绝参加。但是后来因为邻居们都非请他们出席不可，所以他们终于屈服而去参加了。当他们抵达延安的时候，他们受了与劳动英雄同样的欢迎与招待。这一来他们实在是吃惊非小。当他们进礼堂的时候大家都大声鼓掌以示欢迎。他们被请到台上与有荣誉的来宾坐在一起。大家给他们拿茶，拿点心，又拿果了。此外，大会更请他们与劳动英雄站在平等的立场参与各种讨论。大会闭幕时，五位二流子一齐声明要决心改造自己。当时劳动英雄们马上就向他们喝彩并提供所有的建议与帮助，以树立他们的生产计划。政府方面更分配给他们田地，并借给他们农具、种子与家畜。当时五个二流子便一致声称：“如果我们自己改造失败，我们就再不认为我们自己是人。”同时延安市政府也召集一个延安区的六十三个二流子大会。在五天的会期中，官吏、教育家或党及政府的首领们向他们演讲，那五位改造过的二流子也被邀请来劝导他们的顽固的朋友，告诉他们自己所看到的及如何受招待的情景，以及最后发誓改造自己的决心。在大会的最终一天，刘慎海向他们演讲。依照他自己的谈话，他在二年前是边区最有名的二流子，但是现在他已成为一位英雄。他在大会上说一遍自己的历史。他的老婆与四个儿子因为他的懒惰无能及赌博而离开了他。他决定改造自己，他以一条骡作出发点，不遗余力地从事运输食盐。今天他已有六条骡、一只驴子、三头牛及八十头羊，并且还有一百五十亩地，他的家族又都回来了，现在他们食得饱穿得好非常幸福。他的例子促进了同时其他两个二流子的自动改造心。他帮助他们改造，使他们走向自给自足的路上。刘慎海向二流子们演讲的时候，竟热烈地向吴满有挑战，要在来年与吴满有来一个生产竞赛。他结言道："我作梦也没想到像我这样顽固的老二流子能得到社会的荣誉。"他又提及他的本村选他为地方劳动英雄。同时在这次二流子大会以前所开的民众大会上，又被选为民族劳动英雄的事迹。延安市政府依照这种办法将六十三个二流子中的大部分都改造了，只有一小部分仍是执迷不悟。事虽如此，但大会绝没失败。因为大会已明确地在大众的心里确定了延安是劳动者的社会。我想发动封锁共产党的国民党人士们，在心里很少有这种目的。但是，他们却确确实实地促使延安当局去寻求群众更生的更好的办法。

六　乡村民主

在离开延安约两小时路程的一个村庄里，正开着一个推选地方参议会代表的选举大会。选举委员会的十一个委员坐在一块空地上审查选举人的资格。这个委员会的构成分子是：一个富农，一个中农，三个贫农，两个雇工，三个妇女和在那个村庄里的小学教师。

审查的结果是：在六百二十名的选举人（名字都写在一块布告牌上）中只有三名被认为无投票的资格，其中的一个是精神不健全，其余两个是还没有达到法定最低的选举年龄——十八岁。

候选人跟着一个一个地站起来说明自己的施政方针。有一个说他要迅速地实施毛泽东最近所发表的“十一点政纲”。其政纲如次：

（一）每家须有一年余粮以备饥荒。

（二）每村须有一架织布机。

（三）每村须有一个铁厂。

（四）每县须有民办日校及夜校各一，一个识字组，一个读报组，一个壁报及一个秧歌队。

（五）每人须努力认识一千个中国字。

（六）每个地区须有一个医药合作社，每县有一个医生，每村有一个助产士。

（七）每村须有一个贮藏以全村共同努力所收获的五谷或互济的谷仓。

（八）每县须有一销售日用必须品的行商。

（九）每家须养牛一条及猪一只。

（十）每家须植树十株并加以保护。

（十一）每村至少须有一口井，每十个人须有一个灯笼。

第二个候选人说：大家须以全力支持毛主席的十一点，同时还要马上着手去做，大家应该通知县政府，说他们准备随时出力去做掘井、盖校舍、开荒贮粮等项工作。

第三个候选人表示，对于前面两个人的方针都同意，不过他提出了补充意见说：他这村子里的人应该更要注意去发展教育工作。理由是，他们的世界不是从前那个老样子，已经超出了他们那个小村庄的范围了，同时他们和下一代的人应该准备负起更大的责任。

其余的候选人也都发表了他们的政见。我听了他们的话，得了一个印象，就是：他们确实是在打算做点改进的工作。但是这种情景对于那些年老的一辈一定会引起有点不寻常的感觉罢。在他们的记忆里还过着过去那些牛马般生活的日子，大部分时间他们都默坐在那里，在他们那些充满着皱纹的脸上没有丝毫的表情，不过我却可以看出他们心里所想的东西惶惑，半信半疑，对于一个似乎真正关心老百姓的政府的感激等等的混合情绪。

这场选举并没有什么特殊的地方。它与在华北和华中十五个抗日民主根据地里的、在共产党八路军和新四军保护之下的九千万人民所实行的选举大会没有两样。

甚至在那些所谓沦陷区里面，民众还照常选举。大会虽然大半是秘密地进行，但有时也在相当公开的地方，有时甚至在日军据点和碉堡射程之内的地方举行。

为着要亲眼看一看共产党所领导的这种民主政治的实际情形，我出席了一次边区政府与边区参议会常务委员会的联席会议。出席那次会议的二十四位议员——包括八个共产党员，都是由民众推选出来的。年纪最小的是卅一岁，最大八十一岁。因为边区政府主席林祖涵那时正代表共产党到了重庆与国民党和国民党政府进行商谈，所以那次会议便由边区政府副主席李鼎铭主持。出席的人员，包括一个农民，一个大地主，一个佃农，一个知识分子，一个教育家，一个医生，一个军官，一个文化工作者，一个店员和一个回教徒。

开会的地方是在结构简单、高屋顶的边区政府礼堂里，三五成群的燕子穿飞在头上，在那些粗糙的栋梁上筑巢。在那粉白的墙上有一列劳动英雄的肖像。他们的眼睛都向那些长着胡子的立法员的老头凝视着。在礼堂讲坛的两侧，挂着毛泽东和朱德的十五尺的巨像，礼堂的空中从这边墙角到那边墙角挂着联合国的小旗。

旁听的人只有几个，那些立法员坐在礼堂尽处的靠近讲坛的地方，旁边的粗糙的长凳是临时搬来的。那一天很暖和，大多数的人都穿着短褂，不过每个人还戴着一顶边区差不多每个人都戴的软盖的蓝帽子，连那位齿牙脱落殆尽的李鼎铭也戴着他的帽子。他用一个小茶壶一边喝茶，一边致开会辞。他把世界战局作了一个报告，在结论中他说："目前我们的盟军正在各处获得胜利，我们必须靠自己的努力而不要依赖他们的帮助去打日寇。"他说明当时在华中、华南方面战局的失利，完全是重庆政府不能够取得民众支持的结果。他要求国民政府将封锁边区的五十万精兵调往华中、华南去打日本人。他更补充地说："还有，我们的部队也必须被允许去跟他们并肩作战。"

早年革命时期的健将，刘培基——刘志丹的父亲，跟着站起来提出他的关于推进植林计划的意见。他指出政府过去没能充分和农民合作，他们虽然依照计划种了树，但是他们却需要森林专家去指导他们怎样去保护这些树。他接着提出了一些保护树林的实际意见。

何秋山，一个非共产党员的教育家，建议要改善目前的教育制度，提出很多实际意见。他提议设立流动学校，去教育落后村庄的人民，派教员每日轮流往各村上课。在农忙期间，教员不妨直接到田里去教书，使农民在工作中依然还可以学习。在田地两头不妨立一块小黑板，写上几个生字，让他们一边工作，一边认字。在这里，我可以顺便提一提不久以后我果然在很多的村庄里看到这样的黑板，这足以证明这些立法员并不是纸上谈兵。

短小精干的马豫章提到优待抗属的问题，他认为还要加紧努力去帮助那些抗属奠定家务以自给自足。这不单只是为了要减轻公家的负担，同时也是为了这样做足以提高他们的自尊心，因此，他主张当局应该派人去替抗属做庄稼，并且分配土地、农具和种子给他们。

皮广道，一个非共产党员的医生，建议要在那些比较落后的乡村里更积极地推行卫生运动，他要求当局采取强有力的措施去教育民众不信巫神和巫医，多多训练西医，以减少婴儿的死亡率。

高崇珊，一个商人，并且从前在国民党的公安局里任过主管职位，提及了目前的政治问题。他用热辣的口调遣责某将军说：

> 你并不是那么坏的人，可是顶糟的是你顽固得很，不听别人的话，你给人蒙蔽了。孙中山先生说：一切爱国的人士都要团结一致以建立一个富强的中国，如果你果然要走向民主和团结的路，我们没有不支持你到底的，那时，你才真成为世界四大领袖之一。在这时候，先让我们停止互相间的争执，大家合力去打共同的敌人。

在短短的休息时间里，有人拿出一副纸牌，跟着，就在那个会议桌上玩起“延安扑克”（一种介乎桥戏与拉迷之间的玩法）。

休息过后，乔松山站起来对于边区现行的司法制度做了一个详细的检讨。他是一个国民党员，并且过去在国民政府监察院做过事。他指出了好些弱点，并且提出几点改进司法手续的意见。他认为首先司法官，应该亲自到当事人或发生案件的村庄去访问，向他们的邻居或该村的长老作实地的调查，这样一来，司法官不但可以亲自搜集证据，并且还可无须作证的农民们出庭，不致妨碍他们在田里工作。其次他认为在审理案件之前应该多做庭外调解的工作，大概除了汉奸和颠覆政府者外，他以为所有民事案件和大部分的刑事案件都可以运用这种方法。他提议要将关中分区（西安北部地区）特别委员马锡五所实行过的调解办法广为推行。马锡五在边区已享大名，因为他处理民事和刑事案件时运用的方法既迅速有效，又直截了当。他遇到了案子绝不拖延时日，即时就直接追究事件发生的根源，同时在断案以前往往先和当地有声望的人做一个商量。傅平儿的案子就是一个很好的例子。傅平儿是一个很好看的小姑娘，本来和张宝儿订了婚，可是后来她父亲嫌张宝儿太穷，替她选了另一个比较有钱的，希望从他那里多得点身价，不料张宝儿的父亲知道了这个变化，便事先纠合了亲戚近邻，在一个夜里抢了傅平儿去跟他儿子成亲，傅平儿的父亲便向地方法院起诉，法官判决抢婚是不合法的，将张宝儿的父亲判了六个月徒刑。

可是，不久这件案子的经过引起了各方热烈的争执。因此，马锡五便被邀请出来解决。为着要知道正统的法律意见，他首先和当地的负责人商谈，跟着他更征求当事者的邻居和亲戚的意见，最后他询问女方是愿意嫁给她父亲选给她的那个有钱人家呢，还是情愿嫁给张宝儿呢？她的回答是她情愿嫁给张宝儿，连死也不肯改心。

马锡五于是便在那个村庄里召开一个群众大会，让全体民众做审判和陪审人。在那个大会上，大家明白了：原来女的父亲曾经三番五次地因求亲的人增加身价而改变意思去卖她，但是他的女儿却始终不知道这回事，并且曾经要求一定要嫁给那个她父亲替她第一次选定的配偶，因为她说她真爱他。

民众知道了这些情形后，便全体一致地宣布傅老头三番五次地想卖他的女儿触犯了国家法律，因此应该受处罚。其次，男的父亲张老头因擅自纠众抢亲，扰乱社会秩序，也同样有罪。至于男女双方，则可以根据自由婚姻法律结婚。

乔松山在结论里说："直接有关群众的福利和生活的事，应该靠群众处理。这个原则其实比法律更为公平，更为合理。”他说这话时，也许想着这样的一句老话罢：“三个臭皮匠赛过一个诸葛亮。”其实这就是共产党建立他们的司法制度的基本原则。

七　生产运动

生产运动并不限于民众，军队也同样参加，这可以说是八路军所特有的性格。这种大规模的生产军队在世界上（就我所知道的范围内来说）也是没有的。其次这对于军民的水乳交融般的合作也有很大的帮助。访问过八路军的人，没有谁怀疑这个事实。八路军之所以能够仅靠掳获的或简陋的武器去支持战争，就是因为军民能够相互结合，因为共产党自一九三九年受经济上的和军事上的封锁以来，八路军——包括五十七万正规军（一九四二年十月的数字）——就从未得到过重庆中央政府的一粒子弹、一点薪饷和粮秣。如果不是展开了生产运动，那么被封锁的而且暴露在战争之下的华北人民，一定因供应八路军而受到过重的负担。因此，八路军就参加了生产运动。一个这么的自助军队，无疑的是会得到人民热烈的拥护的，同时这种民众拥护，当然又会反过来提高军队的士气。

我前面已经提到过王震和他的三五九旅，但是那不过是留驻边区的五个旅之中的一个而已。在这里我不禁想起了一件颇有趣的同时又是使人深思的事。有一天晚上，我正和几个军官谈话的当儿，我试探地说：如果重庆再来“侵犯”在邻接国民党地区的边区地带时，那么驻防边区的五万半兵半农的八路军，或者不够拒抗胡宗南的五十万中央军吧？他们毫不迟疑地异口同音地说：“够了够了。”这个答话并没有一点夸张的成分。他们都有坚强的自信。“你忘记了，”他们跟着说，“我们有和我们在一起的民众。”

关于八路军的生产努力的一些事实和数字，在这里列举出来，读者也许感觉有兴趣吧？在一九三九年一年里留驻边区的部队开垦了二五一三六亩地，收获的粮食共达二五九〇担，到了一九四三年，他们所耕种的土地已达二一五〇〇〇亩——较红军开抵陕北的一九三六年当时的耕地面积增加了三分之一，在一九四三年年底收获额已增至三一〇〇〇担。他们更计划在一九四四年中将耕地扩大到八四二〇三四亩，将收获量增加到一二〇三九三担，约等于一九四三年生产的四倍。

除了小米（这差不多是从前唯一的农产物）之外，部队还种了小麦、包谷、黄豆、大麦、亚麻、燕麦、稞麦、棉花和各色各样的蔬菜。当我们想起陕西土壤的有名的瘠瘦时，那么这么多的农作物能够生长起来，同时收获量又这么大，这都是值得吾们注意的。除了五谷之外，蔬菜、服装、纸张及其他种种部队用品，边区留守兵团在一九四三年已经达到了百分之七十九点五的自给自足的程度，其余的百分之二十点五则由边区政府补助。

如果以一九三九年十二月的生活水准做基数（百分之一百）的话，那么边区部队底生活水准到一九四〇年便跌到百分之八十八，到一九四一年更跌到百分之八十四点二，这都是封锁所引起的必然结果。到一九四二年当生产运动展开的时候，生活水准便增加至百分之九十五点三，到一九四三年更增高到百分之一百二十五点五，较一九三九年的水准更高百分之二十五点五。在一九四三年，一个士兵底标准装备是两套夏天军服，一套冬天军服，四分之一件棉大衣（换句话说，就是一件棉大衣要穿四年），半件棉被，两只夏天穿的布凉鞋，一双冬天穿的厚布鞋和一双草鞋，此外还有半条绑腿，三分之一条弹药袋，三分之一条米袋，两条毛巾，三斤羊毛。用这些羊毛他们可以纺毛线、多织几双袜子。在王震的一旅里面，去年每个士兵都领了一套全呢的军服。比起我们军队的装备，所有这些似乎都毫不足道——是的，毫不足道。然而我们要知道这些东西都是士兵自己动手生产出来的，而且又是会使西洋兵站部主任束手无策的环境中创造出来的。

我们从这些事实得到一些不仅是边区的，同时也是整个中国的物质条件困难的认识。八路军士兵每月领到的肉类是四磅零八盎司，——这虽然比国民党军队里的士兵每人所领得到的份量要多得多，但却只约略等于一个美国工人在战时所消费的新鲜肉的四分之一或五分之一（加之美国工人除了肉类之外还有其他食物可以供给蛋白质）。这个比较虽然颇有意思，但是实际上并不完全妥当。重要的事实是照中国的水准看来，八路军的士兵是算生活得很好的军队，同时他们也都知道自己是如此，还有使他们更觉得自豪的就是：他们本身就是生产运动的重要因素，他们除了肉类之外，每人每月还有四十八磅左右的蔬菜，六十磅左右的小米，平均每人每天有两磅的谷类和一磅半的蔬菜。油盐及其他调味品和燃料也由公家供给。燃料是很好的无烟煤。很明显地，就是在军中大部分的时间里有新鲜的蔬菜吃，这种伙食也是不易经常维持得很合标准的。

以士兵的粮食分配量和延安区的小规模兵工厂里的工人所能领到的粮食比较一下，那是很有趣的。我曾经问过一个工人，他告诉我说：他每月能够领到四磅肉类，四十磅小米和二十磅小麦（实物或者依照市价发钱）。依此看来，在谷类方面他虽然可以比士兵享受稍丰，但是在肉类方面却是有点吃亏，同时在蔬菜方面他仅能领到士兵份量的四分之三。他的妻子儿女应得的份量，也是根据同样标准计算。这里值得注意的是：在延安，儿童上了七岁便照大人计算配发粮食。还有工厂方面供给午饭，内容主要是蔬菜、小米和馒头。这些军火工人也领工资和军装。工资是依照小米的市价规定，绝不会受物价波动的影响。实际上他们有时领到实物，有时领到钱。在我访问的那个工厂里，当然没有资本家，可是那里也有工资的等级。如果拿管理人员和各部门负责人的薪水和熟练工人的工资比较起来，比率大约等于四比三比二。部队还设立了一些合作社，以吸收士兵们从生产中得来的额外收入。若将这些投资金额换算美金而加以比较时，那简直是近乎不可能。

边区政府有它本身的货币单位——边币。边币虽然被重庆认为不合法，但是在延安治下的地区却赢得人民的充分信用。边币约值重庆法币的八分之一。重庆法币的价值在一九四三年等于美钞的四十分之一。因为在重庆统治区流行着通货膨涨和物价高涨，同时美钞的汇率又是一个毫无根据的官定标准，所以把法币与边币比较是很牵强的。我们要记住，边区政府在防止通货膨涨工作上比较有些成效，这只要从正常交换关系来看便可概见其内容。这些货币数字，对于美国读者虽然没有多大意义，可是那个在合作社投资方面最有成绩的旅的财政状况，却是值得我们考察一下的。那个旅就是王震的三五九旅。他为要使他的部队在战后完全在财政上独立起见，所以他广泛地组织起部队合作社。这些合作社百分之六十是由该旅自己经营，每个士兵最少须加入其中的一个。在一九四三年该旅平均每人入股四点一五八元边币，全体合计约一千五百万元边币。除了这个由各人股份所集成的资本（入股人各有股票）之外，该旅还有集体投资，其总额约有二千五百万元边币。

八路军本身生产的东西，由衣类到军火，由五金器具到木材，包括的范围很广，甚至一些胜家牌缝纫机（这在边区和在中国其他地方同样是非常宝贵的）的零件，也由穿军服的工人生产。在一个机器很容易损坏的地方，气罐和活塞环是少不了的东西。在这里顺便值得一提的是，钢制的用具和武器都是用变工的方式生产出来的。这就是说部队往往在日军占领地区里把铁路拆毁，将铁轨运到“后方”，交给从事生产的部队制造武器。然而这不过只是生产努力的一些动人的例子而已。我们试看一看世界上任何军需仓库的配发表，表上所列的各色各样的名目，简直会使人想起芝加哥邮局的邮件寄发次序表。八路军的装备当然远不如美国军队那么多，可是一切的配备都由部队本身供给。是不是要盖几栋工厂的新房子呢？是不是要偷运一张报纸到日军占领区去呢？留守部队已常造建筑用的砖和石灰，墨水和纸张更不用提。

对于习惯于庞大数字的美国人（对于他们，工具的使用是第二天性，或者比第二天性更根深蒂固，同时他们的发明能力不断为他们的工业文明所激发），八路军的这些成就似乎是有限的。但是我们要知道中国并不是美国，而中国的文明又是农业文明。在这种社会里，那些旧式的迟钝的作风还在很多地方占着支配的地位。中国手工业工人往往是很精巧的，特别是当他运用着传统的工具做那些不知经多少前人所改进过的工作时，更表现出他的熟练。甚至乡村的手艺工人，在做他本行的工作时也是很熟练而负责的。不过这些手工业和现代战争所需要的各种用具的生产是很少有连带关系的。由于这个缘故，八路军和政府领袖们曾遭遇了种种困难。为着在科学水准很低的情形下，来解决这些困难，他们发挥了极高度的热忱和无限的忍耐力。一支在枪口上能够反折，用时能够很快地，并且无声地就拉直的刺刀，在一个美国工厂经理看起来也许是一个没有什么了不起的发明，然而这对于延安的农民队伍却是一个不折不扣的伟大成就。

所有日用物品如钮扣、陶器、弹药、电气插头、电线、电池、鞋、牙刷和肥皂，都是从一些简陋的工厂制造出来的。这些东西的生产量和美国的生产数字比较起来，当然都是不值一提的。但是我们要知道当红军开到陕北的时候，那里是连工业的影子都没有的。到了一九三七年，他们开始和日军正式作战的时候为止，他们已经建立了一个小规模的兵工厂，一间被服厂和一间印刷厂，全体的工人不过才二百七十人。到一九三九年年底，工人数目就增加到了七百人，目前全边区已有一万二千名左右开全工的工人，而且将来还很有增加的可能，这种增加，在一个从共产党到来后才开始现代文化的地区看来，可以说是很大的。

当然，在鼓励工业发展上，政府是和军队协力合作的。可是我们要注意的是延安当局并不是将一切努力都局限于建立国家企业，对于私人经营和合作社，政府也明令规定保障其合法的利润，特别是对于合作社更往往供给经营资金。肥皂、火柴、纸张、化学用品、玻璃和瓷器都是用这种方式来生产。一九四三年五月，第一间炼铁厂成立了，它的产额并不多，主要的原因是因为工作人和管理人员都很缺乏关于经营炼铁厂的知识。他们很坦白地承认这点，可是这并不能阻止他们继续经营的决心。铁是极端需要的，那个铁厂有两个小的及三个比较大的熔矿炉和两百名轮班工作的工人。铁矿山离工厂约有十哩，在那里有几千士兵采掘着矿石。

部队在边区里所开采的煤矿也在一天一天的增加。路上时常有一队一队的骡子运着质地很好的无烟煤。虽然采矿设备的不足和运输工具的缺乏限制了生产量，但是产量仍然是逐渐在增加中。

我费了一些时间去访问延安区的兵工厂。厂址位于离延安五六个钟头骑马的路程的地方。工厂一半藏在山里，本来是制造农具的，但是当边区遭到封锁、内战的危机增大时，全厂便迅速地改为制造手榴弹和修理破武器的工厂了。当时该厂只有两副车床、一架铸造机和一位唯一的有经验的军需技工。后来所添的其他的机器，大部分都是由该厂工人自己设计，一点一滴地做出来的。现在该厂专门制造子弹壳和掷弹筒。金属的来源是钢轨及其他战利品，此外还有破旧的钟、锅、熨斗和旧炮弹壳，动力是由一架一九三三年式的苏联季斯牌卡车发动机和另一架一九二九年式的雪佛兰牌卡车发动机供给。这两架发动机以木炭瓦斯做燃料，连接起来转动着十九个在一条回转轴上的滑车。

该厂办有壁报。工人的投稿内容，包括技术方面的意见、政局谈论和地方新闻。有一篇文章介绍着美国的新磨粉法。另外一篇警告大家在酷暑的夏天对于饮食要讲卫生，“不要吃没有煮熟的东西，不要喝没有煮沸的水”，再加上一句也许是开玩笑的话，“不要狼吞虎咽”。他们一天轮班工作十小时，其间有半个钟头的午饭时间。

我与那个工厂的指导员——政治委员，谈到工人各种业余活动的问题。这些指导员是介乎有能力的专家和听人忏悔的牧师之间的人物，他们的任务是设法促进生产，同时更听取工人的诉苦和建议。工人不但被允许而且甚至被鼓励去参加职工会。兵工厂里的三百三十一个工人中有一百七十八个是职工会的会员。会员所应缴纳的会费规定为工资的百分之一。它的用途是一半作办公费用、一半作买刊物及演剧等用。工厂里有一间为全体工人而设的俱乐部，还有一个教室，公众派教员并供给教科书，让工人在每天晚饭后上两个钟头的课。上课是多少带点强迫性的，因为大家都需互相鼓励学习，连那些懒去听讲的二流子也受到很大的精神压力。

在一个纺织合作社，我发觉那里虽然没有适当的机器，但是社员们却能用创造力去补偿这种缺乏。社员自制的各种机器，虽然简陋，可是还都能用。因为缺少转动轮盘的长皮带，所以工人们便将一根用毛编成的坚韧的带涂上松脂和蜂蜡以作代用品。试验的结果，成绩很好，发明人是看见普通农家都用加蜡的毛带转动手摇的纺纱机而想出这种新办法来的。后来在工厂里大规模地应用到发动机转动的机器上去时，他们发觉带子上的蜡为机器的转动速度所产生的热所溶解了，于是他们又想出加松脂的办法。

各种必要的弹簧都是用掳获的电话线造成的。造法是将这些线的残骸放在一个坩埚里，与炭一起烧到摄氏七百至八百度。那位发明这种弹簧的工厂管理人是值得自豪的。他把用电话线改造的弹簧，跟舶来的弹簧一比，他的弹簧的弹力还要大，品质还胜一筹。

这个工厂有两个动力的来源，一个是一头蒙上眼睛的骡子，转动着一个有齿轮的大木轮，木轮上连接一些较小的轮带、圆筒和滑车。当骡子走动时，整个装置便产生出足够的动力去推动场内的各种机器。据说：这头骡子的工作时间也和场内的工人一样，也有半个钟头的午饭时间。第二个动力是一个大水车，从水车上流过的水便用以灌溉附近的菜园。菜园是厂里工人自己经营的，因为产量比他们的消费量还多，所以他们便把菜拿出去卖，用卖来的钱以合作社的名义去买他们所领不到的东西。卖价总比市场价格便宜百分之四十或五十。

因为国民政府宣布延安所发行的边币为不合法，所以这种货币便无法在边区以外的地方流通。国民党——特别是参谋长 ×××，说八路军所以被认为不合法而领不到粮饷的主要原因之一，就是因为边区政府自行印发不合法的货币。××× 说他有证据足以证明共产党自一九三八年以来便发行边币。关于这点，我曾经与延安的财政厅长南汉宸及其他边区政府的官吏谈论过。他们都一致否认 ××× 的责难。他们都异口同音地说：

事实是我们只在我们的部队领不到粮饷，

在经济和军事上被封锁以后，才印发钞票。与国民党发生裂痕以前，我们虽然也曾发行过辅助币流通市面，但是那些辅助币的额面价值最高不过才七角五分。我们之所以印发辅助币的原因，就是筹码不足。这些辅币券都不是边区政府因公用所发行的，它是由一家半官半商的光华商店印发的。而且印发的原意并不是作货币而系作奖券之用（很像美国电车公司所发的票券）。发行额还没超过一千元法币（约值美金二十五元）。票面价格是由一分至七角五分。一九四一年一月新四军事件之后，我们才经常印发边币，正确点说，第一次公开发行的日期是一九四一年二月十八日。如果 ××× 说他有那个日期以前的边币，那么那些钞票一定也散布在我们的人民手中，为着使你满足并答复 ××× 将军，希望你不客气地搜寻一下。

我照他的话做了，可是始终也没找到一张在一九四一年前所发行的边币。

边币既被认为不合法，所以在边区以外的地方根本就不能通用，因此之故，本来可以走私通过封锁线的重要物资，也不能用这种货币去购取，可是边区却有两种极为大后方（延安人士这样称呼国民党统治下的地区）所需要的东西——盐和石油。这两种东西是边区的出口品，被特许可以自由通过封锁线运出边区。换回来的东西是布匹以及其他边区以外地区当局认为可以让赶骡马的商贩带进边区的东西。边区有几个全中国最好的产盐区，不过因种种关系，现在只能生产足够边区的目前消费和大后方所勉强接受的产额。

关于石油，边区政府在延长——延安和黄河之间，经营着一个规模不十分大的油田，这个油矿本来是在一九〇六年由一个日本工程师发见、测探和着手开采的。他开了四个油井，但是其中只有两个喷油。一九一〇年，那位工程师因为油的产量很少，并且受到满清政府的种种阻碍，所以终于放弃了原定的计划。新的民国政府接手试办了好几年，可是在一九一四年与美孚油行订了合同，把矿权转让给他。美孚油行运来很多掘井和炼油的设备，又开了五个新井，但是后来因为无利可图，主要的原因是因为周围地区都没有公路运输或铁路运输的便利，所以美孚油行也洗手不干，将所有的设备都丢在那里了。从一九一六年起一直到一九三五年红军的先头部队到达边区为止，中国政府只是马马虎虎地继续经营，始终也没获得多少收益。

目前共产党正用全力在发展这个油矿，因为他们知道无论在产油方面是多么没有利益，但是可得到汽油、火油和洋烛等副产物。这个事业毕竟是换取“外汇”的一个宝贵的媒介。他们的努力也许可以说是“不合经济原则”，但是照边区的目前情形看来，用普通的准则去衡量是说不过去的。负责经营的很坦白地承认他们没有谁真正懂得科学采炼方法。有些工作人员是从前的老手。矿场的负责人陈春侠就是其中的一个，他承认自己并不是什么采炼石油的工程师，只不过是在外国人经营时在那里工作，得了好几年的实际经验而已。那几座美孚油行遗留下来的机器，都残破不堪使用了。抽油机上的几个活塞都裹了布和皮以防漏油。由于钢的缺乏，所以贮油库是用从河边挖出来的石板砌成的。其他的各种设备不是代用品便是自制的居多。蒸汽机就是日本工程师在一九〇六年装起来的。那些美孚油行运来的机器，却因为没有补充的零件不堪应用了。火油和原油都是用竹子和石灰做的桶装起来，放在骡子和驴子的背上运出去。副产物的洋烛，质地很不错，比重庆或大后方其他地区所出产的好得多。汽油的主要用途是供给在延安及其附近地区驰行的二十多辆破旧卡车之用。

我所接谈过的几个工人似乎都很满足他们的劳动报酬。有几个是在那里工作了很多年的老工人。他们曾经在过去的几个雇主之下工作过，他们对于目前的工作条件都表示非常满意。他们的工作时间既比从前短，同时也受着人的待遇。他们有自己的工会俱乐部，并且对于矿场里的事还有发言权。其中有一个会讲英语的，他原来是一个在新加坡出生的华侨，在流浪到延长油矿以前，曾经当过多年的水手。“在这里做工比从前当水手都好。”他沉思地说。在边区和在全中国各处一样，生活是艰苦的，然而在他那表示满意的言谈中我听到了希望之声，同时我相信我也听到了自信之声。

边区政府主席，白发苍苍的林祖涵，告诉我边区一九四三年的生产状况时，是充满着自信的。下面便是一九四三年的生产记录。边区全年的粮食消费额约一六二〇〇〇〇担。一九四三年的生产总额为一八四〇〇〇〇担，剩余约二二〇〇〇〇担，这就是说：如果平均分配一下，每人都有剩余的粮食。那年的农产品总额中的比例数是：小米百分之二十四点五，小麦百分之二十一点五，玉米百分之一十四，豆类百分之十一点二，荞麦百分之零点一，高粱百分之六点四，亚麻百分之五点一，大麦百分之三点七，甘薯百分之三点二，棉花百分之一点四，蔬菜和杂粮百分之二点二。

在同一年中，盐（边区的主要输出品，在前面已经说过了）产额达六十万驮，全部由合作社包运，这些合作社的牲口比一九四二年增加了十倍。在畜牧手工业和工业等方面也有显著的进步。做纺织的妇女已有一三七六〇〇名，她们差不多都加入了纺织合作社。每个工厂的产量都比一九四二年增加了，增加的比例数是由百分之一百到百分之四百，同时，生产费也减到百分之二十至百分之三十之间。

林主席说：

甚至道士、瞎子和老太婆也被卷进了生产运动的狂潮。有一个住在清涧庙的名叫张凤鸣的道士，看见了人民开荒的热烈情景，深深地受了感动，最后便剪去道士的长发，到田里去种田。在庆阳县有一个五十七岁的瞎子要他的孙子每天带他到田里去耕田，后来他果然自己摸索地开了四亩半荒地。在志丹县有一个老太婆，当秋收的时候，每天早上一听到鸡叫，便起来叫起她的邻人，去和她一道在天刚发亮的时候便下田收割。这样的例子在中国，甚至于可以说在全世界恐怕也不易找到。

林主席继续着说：

这样的热烈情绪全是由于共产党和边区政府的领导得法以及多方的鼓励所致。政府首先所实行的减租减息政策，已使佃农减轻了负担，同时也使他们更辛勤地工作以履行他们的交租义务。政府保证地主的收租权。其次政府更贷款给农民，使他们有钱买牛和较好的农具。为奖励种棉起见，政府对种棉的农民免三年税，并且更规定将来纳税时可以用棉花代替五谷。

因为边区实行优待难民政策，所以从河南吸收了成千成万的难民，因此，人口增加了不少。这些难民都领到了地，并且建立了家庭，实行自力更生。为着增加生产能率，所以变工队的组织被普遍地推行了。全边区三三八七六〇个农业工人中，百分之二十四已自动地参加了变工组织。这个数字到一九四四年底便有增加一倍的可能。

生产运动中最值得重视的是：无论军队，政府或党部都一律参加生产。这三者在普通的情形下本来会成为边区的寄生分子的，可是现在他们在衣食方面已达到百分之六十四的自给自足，并且在不久的将来便有完全自给自足的可能。这样一来，人民的租税负担便可以日见减轻了。

林主席说：

单只是部队的生产纪录，便可以说是近乎

奇迹的。从这点看来，人民说“八路军能打仗，能生产，又能跟老百姓好好地搅在一起，我们活了一辈子也没有看见过这样的军队”。难道有半点稀奇吗？生产和打仗的时候一样，我们的部队是非常热心并且是充满着创造力的。去年开荒的时候，他们天还未亮便跑到山上去，一直工作到天黑以后。除了吃饭之外，连半点时间也不空费。后来弄到指挥员没有办法，不得不规定新规则，要他们依时休息，不准他们工作到超过规定的时刻。

这还不算，我们的指挥员本身也和战斗员一样地勤勉工作。去年春耕的时候，团指挥员陈宗尧把手弄伤了，可是他还不肯罢休，要求无论如何非让他做完他份内的工作不可。政治委员左齐虽然因为在战斗中失去了右手，不能拿犁锄，但是他却每天给在田里工作的人烧水烧饭。我们的军队确是值得自豪的，我们的军队是中华民族的优秀子孙。

八 日本人民解放联盟

共产党治下的地区，根本没有俘虏集中营。中日战争爆发时，共产党声明“不杀俘虏”、“优待俘虏”及“释放愿回原队的俘虏”等方针。自战争开始至一九四四年十一月止，共产党所捕捉的二千四百零七名的日本逃兵及俘虏之中，除了志愿留在延安的三百二十二人外，其余的都被放回原队，或秘密回到沦陷区，然后大概是以伪造的护照回日本国了。

留在延安的三百二十二个俘虏，都有完全的个人自由，并且又都是日本人民解放联盟的会员。日本人民解放联盟——以后简称日联，本部，设在延安中心一个峭壁上的几个完备的防空洞里。日联虽然是依靠共产党八路军的物质援助，但是，本身却是一个完整的独立机构，日联的领袖是冈野进，他的真名叫野坂铁。他是一位有名的日本共产党革命家。他在华北做了多年的地下工作，最近才到了延安。

这个以日本兵组织成的团体的目的，是打倒日本军阀及在日本建立民主政府。现在已经有不少的革命志士为深入日本防线煽动不满及暴动而牺牲了。到现在，日联究竟有了多大成就，我们可以从过去数年间来归的日本逃兵数目的增加窥知一二。这些逃兵透露了日本兵对于日联所抱的观感。一九四四年上半季，一百万张以上的用日文印刷的传单、小册子及报纸散发在全华北的各日本据点及碉堡的门口。这些印刷品上根本没有什么令人难解的抽象理论，它只写一些关于日本兵的生活、待遇、新闻杂志的供给状态等切身问题，以及可以被称为日本军队生活所特有的黑幕等事项。例如，在河北省中部某连长由于打士兵耳光而得到了恶名，打耳光对于日本人是绝大的侮辱，在前线的日联工作队听到了这个消息，便秘密地将传单撒在那位连长的办公处附近，给他一个个人警告，果然，此后他便停止了打士兵的耳光。日联工作队差不多每天都用特别短波收音机收旧金山合众社广播及伦敦路透社莫尔斯电码电报，然后把它用誊写版写成报纸送到日本据点。此外他们更特别注意反驳日本同盟社所报告的“日本胜利”。

在日本的节日或祭日，一年之间有三、四次，日联把手制的十二吋见方的“慰问袋”分配给碉堡里的日本兵，这些“慰问袋”里装着花生、猪肉、糖饼等简单的食品，以及翻版的日本小说、纸牌，或者有的时候还装一小瓶中国烧酒。多半的时候，日本兵回送最近的日本报纸、杂志、日本烟、啤酒及其他等礼品以表谢意。日本军官晓得了这种沮丧士气的亲睦，所以他们便尽力从中破坏，并时常向各处调动他们底军队。可庆幸的是，他们这种举动正落了日联工作队的圈套，日联工作队可以不必太移动就能向新的对象工作。他们可以用信件与碉堡里的每个守备兵取得个人联络。他们从情报工作队获悉了日本兵的姓名及住址，然后，与这些日本兵是同乡的日联工作队员便给他们写几封避免政治及宣传的家常信。日本兵虽被严禁作复，但是，平均百分之十是有回答的。在河北省南部，日联工作队发出一百九十五封信，收到四十二封回信。

有时，一位日联工作队员可以偶然地在一个守备队中发现他以前的附属部队。松田便遇到了这种事。他发觉了他以前所属的那个连是驻在河北省太行山，于是他给那个连的每个人一共写了四十封信。这些信都是写着他自己及他的亲友的事，因此他以前的战友将确信松田仍活在人间。因为日本的宣传，一向是说："俘虏与伤兵都不分皂白地被八路军'土匪'活活打死了。"松田的信在那个守备队中惹起了很大的骚动。连长见势不妙，便经过傀儡向八路军说："如果松田重归原队，他将受他的老战友们的欢迎，我们更愿意出大量武器及金钱作为松田的赎身金。"松田回答说，他自己并不是叫日本人来赎的俘虏。并且劝连长及其部下也来参加日联，向东京军阀斗争。

指挥独立混成旅第七十五营的松本少校，决定亲自对盘踞在他的卫戍区内的日联工作队作些对策。他写给他们，向他们约定：假如他们回来，他保证他们的安全。可是他们都恭恭敬敬地回答道：八路军待他们很好，此外他们正在为着一些有价值的事斗争着，并且劝他也来参加。松本少校不禁恼羞成怒，又给他们写封信，骂他们是日奸，并且恫吓他们要活捉他们就地正法。松本少校也给那个区域的八路军司令官写一封信说："我们以军人对军人的作风，现在我要求你把他们送还给我。"那位八路军司令官把那封信交给日联工作员，然后便下令奇袭松本少校的营部。松本的参谋被活捉了，松本自己仅以身免。日联工作员在营部墙上用白粉笔写着："松本少校，我们回来了，你为什么跑了呢？"

每个月有三、四次"呼喊队"出去工作。这是一件很危险的任务，因为"呼喊队"必须一直爬到碉堡里的日本兵能听到扩音器的声音的地点。有时，顽迷不悟的日本兵从碉堡向外边黑暗里的声音开枪，并且有时激怒的碉堡守卫官下令出击，所以呼喊队都有坚固的保护，并且通常是向比较孤立的据点工作。

日联会员在呼喊战术方面已获得了意外的成功。在太行地区，呼喊队员谦田发现了他以前在河北省Lucheng驻扎时的所属部队。指挥守碉堡的军曹是他昔日的好友，而且还是同乡。当这位军曹悟到他确确实实是在与他相信过死去已久的朋友谈话时，他便把身子倚在碉堡底壁上与谦田长谈，这样在守备兵之间便惹起了一阵激动。

有一次，山东省境内某据点遭了呼喊队的袭击。据点里有三十个日本兵及五十个伪军。当伪军要开枪打呼喊队员铃木及他所率领的部队时，日本兵赶紧叫他们不要开枪，然后便与铃木谈了一点多钟。日本兵问了很多关于日联及日联的工作的事。当他们知道世界上有如此这般的组织存在之后，他们大吃一惊，因为他们一直是受了他们长官的欺蒙以为八路军是土匪啦！

“呼喊”比传单、小册子及书信有显著的好处，因为呼喊能使彼此有直接谈话的机会。在谈话之中，彼此可一问一答，将某种问题讨论明白。此外有一个比“呼喊”更好的办法，那就是挂电话。这种新办法，既可以使危险减少，又可以使谈话无限制地继续下去；同时以一个共同电话系统可以将据点网都联结起来，保持经常的接触。

小林才从华北前线回来，告诉我一些关于挂电话的实地经验：

在北风凛冽的除夕，我们在漆黑中沿着一条冰雪满地的山路一溜一滑地走下去，每个人都提心吊胆，恐怕一步不小心便滑跌到看不见的悬崖下。我非常担心我的中国同志背着的重重的电话装置，因为在电话装置之外他还背着从日本军阀掳获的步枪及轻机关枪。其实，那架电话机及联结据点的电话线的器具，也都是从日本军抢来的。最后，我们到了我们的目的地。那是一座烧毁了的，没有房顶，约距一个日本据点仅二百码的农家。我们既不敢燃火取暖，又不敢点烛取亮。我们把电话装置在一只以支柱支着的三条腿的桌子上，然后我便倾听着耳机，等着在外面漆黑中立电杆子的中国兵把电话线联好在那个区的据点网上的信号，我们的卫兵在附近一带的雪地上散开，班长跑来跑去巡逻士兵的警戒。

最后，信号来了，我看一看表上的萤光盘，当时正是夜半。正好！我把电话机摇了四遍。不一会儿工夫便来了一个半醒半睡的“唔唉！唔唉！”的声音。

“——唔唉！唔唉！第四号碉堡吗？”我说。

“——是，您是那位？”

“——片山伍长在不在？”我知道片山是个好人，在几天前他曾责备一个因不必要而虐打了一个农人的日本兵。不一会儿，片山来接电话了。

“——片山先生吗？”

“——是的，我是片山。您是那位？”

“——我说：‘祝您新年快乐。’现在已快到夜半了。”

“——噢！是的，我本来打算在这儿过年，但是现在我却非迷迷糊糊地睡觉不可。虽然这不是一个快乐的年，我也祝您新年幸福。华北太冷了，我直打冷战，您究竟是谁呀？是司令部吗？”

“——不是，我是日本人民解放联盟的会员小林。”经过一阵沉默之后，我又问道：——“唔唉！唔唉！你还在那儿吗？”

——是片山回答了，但是他底声音却有点发抖。

我不愿意把他吓跑，所以我赶紧说："我们昨天给你们送的慰问袋怎么样？"

"——噢！慰问袋吗？我明白您的意思了，那是你们送的吗？"

"——是的，够不够分配？"

"——够啦！谢谢！"随后我听他冷笑了几声！我问他："什么事？"

"——没什么事，不过是中尉老爷听见我们谈慰问袋的事而发了脾气。中尉曾说，慰问袋是要毒死我们的东西。"他又冷笑了一声："我们先叫中国兵把它尝了一尝，我们一起笑起来了，以后他醒过酒来了。"他继续说：

"——我知道，现在是除夕夜，我们都是日本人，当然免不了想起家乡的亲友们。"我听他长叹了一声，自己问自己似的说："我们什么时候才能再看见他们呢？"

这个给了我，我正在等着的破绽。我马上告诉他关于我自己的事。就是：我如何受了伤，而且因受伤过重，连自杀都办不到。当时我曾以为对于残废的日本人，自杀是光荣的事。但是八路军在战场上把我救起来，恢复了我的健康，并且还给了我自由。这时我才渐渐明白八路军的战争目标。日联的日本同志们与我谈了几次话，然后我便决定参加他们了。我说：我们日联同志们，像你们一样关心自己的家庭，我们要停止这个无人欢迎而且谁又得不到利益的战争。

关于这些，他一直是静静地听着，而后他叫我告诉他一些关于日联的事。我们又继续谈了半小时左右。最后他说有人来了，必须把电话放下。

随后我便向第五号、第九号及第七号碉堡挂电话，与许多人谈了话。但是当我与第二号碉堡通话时，一个军官闯进碉堡来了。他抢过电话向我谩骂，命令我把电话拆掉，并且还恫吓我说要派人出来抓我。我镇静地说：我不能服从他的命令，而且我与日联的同志们的战争对象就是像他那样的人，假使他要领人出来打我们，我们不但不把电话切断，而且更要活捉他。这一番话简直把他气死了，他几乎发狂了！他把电话挂起来，我仍继续我的通话工作。

这仅是小林所叙述的插话中的一段，但是，它却是一切插话的典型。

我们可以从日本高级将领对付日联的办法，看出他们对日联的想法。他们在华北日本兵之间散布了辱骂日联人员为欺诈师及叛逆者的反宣传，并且还训练了很多特务，故意逃跑或故意“被俘”，借以混入日联，煽动内讧，诱拐会员及刺杀领袖。

我访问延安时那里正有六位这样的特务，他们都是自首的特务，他们愿意坦白地说出一切。大个子，二十四岁的谷川尚行是其中的一位。他对我说，他是被强迫来暗杀冈野的。谷川是从一家贫农被征入营的，他在驻屯于华北的铃木第四独立旅当一名小兵。有一天，北川旅长把他叫到旅部，并且笑容满面地让他喝啤酒，咖啡及吃果子。旅长告诉堕入五里雾中的谷川道：我有好消息告诉你，那就是你升官的良机来啦！你喜欢不喜欢升官呢？谷川大吃一惊，连话都答不出来了。他从旅部退出，几天后他又被召到旅部。这回旅长可开始商谈买卖了，他们吃了一顿豪华的饭后，旅长告诉他说，他已被选任特种光荣的任务，就是，他要受间谍训练，再故意给八路军抓住，然后混进日联。假使他完成了这个任务，那么他的工作就与一个师的工作有同等的价值。而且在大功告成回来时，他就要受勋，晋级领赏及长期休假回家。万一失败了，他的家族将受到特别保护，并且在乡里受人尊崇。

谷川说在最初他自己真迷糊了。他不能理解：为什么一个小兵被选任如此重大的任务。后来他才恍然大悟，正因为他是一个小兵，所以旅长才不惜将他葬送在如此危险的工作里。当然他没有选择的自由，长官的要求就是命令。

因此，谷川便进了山西省 Yanghsneh 的一个特种学校，在那里，他与其他和他同样的十五个人共同受训。

他受了四个月的训，他学习了打暗号、柔术及不以武器而杀人的各种方法。在政治课程方面，学校告诉他们说：中国共产党是受斯大林的直接指挥的，他把中国共产党当作傀儡，以资征服日本及全部远东。学校当局更告诉他进入共产区之后，要与汉奸合作；以脱帽、皱眉及捏鼻子等简单暗号传达谍报；假使被抓住了，他要仅仅承认一部分，无论在什么场合也不要怕八路军，因为八路军素来是不杀俘虏的。

谷川笑着说："当时这真使我吃了一惊，因为他们曾屡次说过共产党是把俘虏活活打死的。"

依照拟定的计划，谷川就"逃"进了共产区。八路军侦察队把他捉住，带到一间小木房里。他在那个小木房里看见了蒋介石的肖像，他想了一会儿，以为自己是被中央军捉住了。"但是，"他对我说，"当我看见在另一面墙上挂着毛泽东的肖像时，我马上就知道我并没弄错。可是当时我却不知道究竟那是怎回事。"

八路军把他送到延安，他自动请求参加日联。冈野说："当然我们几乎在最初就嗅出他是个特务。我们从头到尾把他的来历清查了一遍。他言语支离，自相矛盾，但是我们也不作声，我们只是严密地监视着他，使他根本就没有执行阴谋的机会。”

在延安的六个日本间谍之中的另一个，是年轻的荒田。他经过四个月训练后，于去年“被俘”了。他来的时候，在怀表里藏着一个强性的炸弹，他打算用它炸死毛泽东或朱德。他更在裤子的开口里放了一小瓶毒药，作为同样目的之用。但是他根本就没有机会来使用这两件法宝。某天，当日联大会讨论别的间谍的罪行时，他决定自动地自首。使他吃惊的是：在他还没自首之前，日联早就知道他的秘密了。他笑着对我说：“真的，关于这一点我并没在意。我对我的工作根本就不太热心。”

“古田健次仅仅在我访问延安前几个月才‘逃’过来，他也承认自己是为刺杀冈野而来的。”冈野冷笑道：“我在精神上受了不少的威胁。”

谈吐温和的冈野，今年已五十岁了。他是日本共产党创始者之一。他整个的生涯全致力于革命了。他在幼年便丧失了父母，以后便是他哥哥照顾他。他先进一个商业学校，然后又进了庆应大学。他受了俄国一九一八年革命的影响。他先到俄国，然后又到英国。他在英国讲演几次后，英国侦探便暗中通告他说英国不欢迎他。他离开英国而赴法国、瑞士、德国及俄国，以后他又重回到日本。他到达日本不久，便被捕入狱了。一九二三年大地震时他失去了力量。从那年起到一九三一年止，他的大部分人生都在监狱中过去了。最终，他从日本又逃到苏联。一九三五年他被选为第三国际的执行委员。一九三七年他潜至华北做地下工作。一九四三年他为改组反战同盟而来到延安，他把当时仅由一些热心而无经验的俘虏们所组成的，几乎无目的的反战同盟，改成现在这样的一个反军阀的革命团体。

日联的计划是很大的。它向日本军呼吁立即停止战争，打倒军阀及建立民主政府。它更要求在平等与真正共荣的原则上与外国建立友好关系。它主张惩罚“沈阳事件”、“中日战争”及“太平洋战争”的挑拨者。其余的信条就是：马上计划复员及解除在纯粹自卫程度以外的武装；实施提高人民生活水准的措置；要求言论、出版、集会结社及宗教信仰的完全自由；允许所有年龄在二十岁以上者有选举权，并召集国民大会以制定一个民主的宪法。

关于日本天皇的运命，冈野及日联慎重地说：

日本天皇，对于大多数的日本人仍是至高无上的神的象征，所以我们现在不能唱“打倒天皇”的口号。但是在战争结束时，日本人民或许把天皇只看作软弱的普通人，军阀手中的傀儡。日本军阀已深思熟虑地使天皇负战争的全部责任，自己都暗中取利。每月八号，全日本各报纸皆须登载以天皇名义所公布的对英美宣战的诏书，企图使天皇自己在日本战败时负责任。此外，由于军阀的强制，天皇不时在人民面前出现，这已减弱了民众对天皇的“神圣性”的信心。在任何场合，我们并不是与天皇本身抗争，我们是与附在他身上的但是已被军阀所篡夺了的绝对权力抗争。军阀们或者要更进一步地篡夺那个绝对权力，以开始新的帝国主义大冒险。

冈野这样地解释了日联的基本原则后，他表示自己不同意前驻日大使格鲁的意见。格鲁一向是主张保留天皇及天皇的神性特权的。但是冈野说："这完全是非民主的，并且也是对将来充满了危险的想法。"冈野虽然是非出于本愿地承认：假使宪法将天皇的地位减低到与英王同等的地位，也就是减低到能统而不能治的虚存的首领地位时，那么在新民主日本也许会有天皇的位置。他说在日本，像在美国一样完全没有皇帝，是再好没有了。最后他下结论道："假使专制制度必须取消时，那么给皇室恩金并依适用于老家庭的尊敬来待皇室，是较为聪明的。"

所有的日联会员都进了延安日本工农学校。经过一年半训练后，他们被派到前线做各种工作。工农学校与延安其他的各机关相同，是设在一连的洞穴中。它成立于一九四〇年，它最初的目的是纠正俘虏以为这次战争是日本的神圣战争的错误观念。工农学校的毕业生，以日本语耐心地向学生解释这次战争的真正性质，及日本在这次战争中所扮的角色。正式课程有国际情势分析，国内情势分析，世界地理及经济学入门。工农学校更采用间接比拟教法。这里教法就是：分析法西斯主义及希特勒的“欧洲新秩序”的梦想，借以与日本军阀的“大东亚新秩序”对照比较。

现在，工农学校已置重点于鼓舞并发展个性及创意方面，以便在战争中反抗军阀及在战后的民主日本实行革命工作。除了政治、经济、历史及社会科学等讲义之外，他们更学习普通常识以提高知识水准。每人每月须当同学面前审查及批判自己的工作一次，同学们互评优劣而予以应得的赞赏及应受的谴责。

他们非常注意实际工作。他们费很多时间写传单及编报纸。他们孜孜不倦地去宣传或呼喊。直至一九四三年春止，延安每礼拜向日本广播两次，不但使华北的侵略者能够收听，而且使日本国内人民也可听到。后来因为技术的问题，对日广播便停止了。现在宣传材料是寄到前线或用莫尔斯电码打到前线，供给在战场上活动的日联工作队去散布。

工农学校的学生在延安不但可以出席各种盛大的公众集会，而且还可以发表演说。他们有选举权及被选举权。森健已被选为边区政府的参议员，同时中小路静雄被任为延安市的市参议员。依照八路军优待日本人的原则，工农学校的学生比一般的中国兵能得更好的配给。例如：他们不领包谷而领白面，每个月的肉的分配量是六磅，比八路军多一磅八盎司。其他的日用必需品如牙刷、牙膏、手巾、肥皂及香烟等都是大量供应。他们自己养鸡，并且自己还做“日本菜”吃。他们不参加生产运动，可是他们却自动地每天以几小时的工夫来纺织、建筑或种菜。他们是熟练的玩具制造工，他们做出的玩具在延安有良好的销路。

当我第一次访问工农学校时，出席的七十余名学生排成军队队形，同时他们的发言人发表声明说：“我们随时准备与美国及其他盟国并肩作战，打倒日本军阀。为着推翻将我国导入悲惨及堕落之途的军阀们，我们准备牺牲一切。”

在会客室里，陈列着学生们的活动成绩及详细的统计图与统计表；呼喊队及电话队的沙制模型；已散布给日本碉堡守备队的传单、小册子及报纸的标本；将内容摆在外面的“慰问袋”；此外还有一桌子战利品，主要的是一个兵带在袋子里的个人用品，如护身符、笔记本、日记簿、领章及印着现代电影明星相片的发亮的明信片。

清清楚楚地画着日联的工作成绩的统计表告诉我们：在过去数年间，日联会员已增加了百分之八十；在前线做宣传工作而牺牲的会员为百分之十九；百分之三十四的会员在未入军队以前是工厂劳动者，百分之三十二是农民，百分之十二是商人，其余的百分之二十二是由事务员、工匠及渔夫所组成，但是其中却有四位牧师。会员的百分之七十八是步兵，百分之六十六是高小毕业生，百分之十五是中学毕业生，有两位有大学毕业文凭的。他们对于他们与日本内地人民的配给比较图特别自豪。除了米（华北人不吃米而吃麦）之外，他们的配给都比日本国内人民的配给多。

墙上挂着一列手画的大幅宣传画。那上面画着“在自夸为第一等军队的日本军里的新兵所受的不平及虐待”。所有的宣传画都写着英文标题。其中一张写着：“老兵命令新兵头顶着放有东西在上面的架子或桌子，他们必须把他们的头顶着桌子底面，以弯着身子的姿势站着，直至后背像被拷打一顿那样痛为止。他们要坐下时，老兵便打一拳或踢一脚。”有一张宣传画画着有一伏在床下的傻头傻脑的新兵，题着：“有时老兵叫新兵在床下爬着学郭公叫，然后老兵用擦枪筒的通条打着新兵的头，以供大家的娱乐。”还有一张画写着：“当营房有些不整洁时，新兵便饱受责备，并须一对一对地排起来彼此殴打，如果他们不用力打，老兵便加以干涉，将不用力打的兵特别痛打一顿。”

学生们很喜欢讲他们自己的经历及他们的工作。他们对于他们的工作是非常自豪的。小山少尉告诉我，他如何教中国兵使用掳获的日本炮。中岛教建筑。山田——一位日本军中的军医助手，现在与八路军军乐队在一起工作。岛田是抛手榴弹的专家，他非常称赞八路军的适应性。吉田告诉我一些关于他自己所做的呼喊攻势的故事。他说：近来日本军当局正以富于宣传性的新闻迷惑士兵。他们一点儿也不信我们底关于同盟国在欧洲及太平洋方面胜利的报道。最后我们指出无论他们关于日本及德国的胜利听到些什么，但是一般报纸上所载的地名及地志，已显然地证明了轴心国已“胜利地失陷了领土”。

吉田伍长——一个被包围的连的唯一生存者，在一个经过十天战斗的末了一天被俘虏了。他企图切断咽喉自杀，但是他切得不够深，八路军把他救起来，恢复了他的健康（他指给我看他颈上的伤痕，别人都笑了）。他恢复了意识之后，他就要求八路军把自己杀掉，因为他恐怕八路军把他救活之后再加以残酷的示众式的侮辱及毒刑。可是，事实正是相反，他不但没被侮辱，反而受了最良善的最富于友情的待遇，这个使他大吃了一惊，后来他才渐渐理解了八路军对俘虏的政策。

差不多只在六个月前才被捉住的片山，告诉我一些向碉堡作呼喊攻击的故事。他说：

> 起初，我们以为日联工作员都是叛徒。又因为八路军送我们慰问袋，所以我们更以为八路军是非常奇怪的军队，我们之间时常彼此诙谐地说：假使一个日本兵投到八路军那边时，八路军将使他当一个高级军官，统率八路军的军队。我们打了一次败仗后，这个笑话越说越像了，因为我们大家说："八路军是由投过去的日本人统率的，所以我们打败了。"

中小路静雄告诉我一件非常有趣的故事。他以前是某部第四连的小兵。第四连与八路军打了很多次仗，但是，每次他们都死四个人。“四”字在日本也是“死”的意思。因此，他们的连长就把“第四连”改为“宏连”，“宏”是连长的名字。但是在下一回的战斗时，不但惯例地又被打死了四个人，而且连宏大尉都被打死了。某中尉继宏大尉当了连长。但是在下一回的战斗中，中尉与其他四个兵又被打死了。事到如此，那个连便开始怕起来了，以为八路军有什么神秘的力量。因此士兵们便开始嚷有病，最后那个连便从那个地区撤了。那个连撤至内蒙某前线之前与八路军作了最后一次战斗，在这个战斗中中小路静雄便被打伤活捉了。

有几个学生坦白地承认他们曾杀了中国平民。关于这一点他们埋怨他们的军事训练。日本军阀告诉他们：中国人比鸡犬还不如，日本人是超越的神的选民。他们不但自由自在地讲这些事，而且他们更详细地写下他们自己以及其他日本兵的杀人放火行为。有一天《解放日报》整整用一大面发表了这些故事。下面就是一段典型的叙述：

一九四一年伊关三十六师近藤二百二十三团第三营田中连在山西Nangning驻防时，有一天捉住了一个年约二十五岁的俘虏。谁都能几乎一眼就看出他不过是一个无知识的小贩。但是我们连长却硬说他是个间谍，然后便把他交给医生，给他上刑。医生叫他脱掉上衣，仰卧在地上，把一支满装着水的注射器灌水进他的肺里，然后便抽出来一管鲜血，从他那叫喊的口里也是鲜血直流。连我们自己的人也不忍看这种情形而躲开了，只有医生却一面冷笑，一面给那个小贩灌凉水，他昏过去时医生便用药再使他苏醒过来。最后那个人死去了。那位残酷的医生也收拾收拾器具走开了。

另一段是：

一九四一年七月，我被派到北平西南长辛店军犬训练所工作。有一天训练所把五十多个中国平民带进四周围以高墙的院子里。加藤少校命令我们顺着墙排好。我们站好之后，他喊道："小石军曹，突击开始！"小石便把院子的门一开，一群牙齿锐利的军犬便跳了出来，一直对着那些中国人的喉咙扑过去。他们呼天号地挥着拳头打狗，但是那里能把那群恶犬打退呢，人身上溅出的血只能使军犬愈发狂暴。那些军犬名副其实地把他们碎尸万段了。最后那些中国人便尸首破碎地死在地上了！饱餐了一顿的军犬也被领走了！

有一位叫田岛的写了第三个故事：

一九四〇年五月第九独立混合旅三十九营第三连在山西省忻县驻防，有一天小野少尉告诉我们："你们从来还没杀过人，所以我们今天要行一个杀人练习。你们不要把中国人看作人，必须把他们看作比猫、狗都不如的东西。拿出勇气来，志愿练习杀人的向前来。"一个人也没动。中尉不禁大怒，喊道："你们这群鼠辈，你们谁也没资格自称为皇军，没有人志愿吗？好！我下命令好了！”他开始喊出大谷、古川、上野、田岛等名字（我的妈！我也被点上了）。我以颤动的手，拿起上着刺刀的枪，慢慢走到站在坑边上的已吓得面无人色的中国人面前（那个坑就是他自己给自己挖的坟墓）。中尉几乎用着患歇斯底里的骂声指挥着我。我在心里求他的饶恕，然后我把眼睛一闭，耳里响着中尉的骂声，一下子就把那个已吓如死人的中国人刺杀了。我把眼睛睁开一看，他已滚下坑里了。我对自己说：“杀人凶手，杀人罪犯！”

我知道这类插话是令人非常心痛的，但是因为它是中国沦陷区的每个日本兵的经验的一部分，所以我继续将它引用出来。

一九三九年六月，我随着本间师渡团大原营在绥远宁夏边界作战。有一天我偶然看见佐久间军曹和岛津伍长从一个小板房里拉出一个老头、一个少妇和一个小孩。佐久间与岛津交头接耳地说了一会儿之后，便拿出手枪对着老头说："你与你的女儿性交一下。"然后他们便剥去老头及少妇的衣服，逼着老头和他的女儿性交。但是，那个老头却咒骂他们反抗他们。结果他们一枪就把他打死了。随后他们就从少妇的怀里把小孩儿抢开，她虽然惨叫不止，但是他们都把她摔在地上，而且还把乱纸塞到她的生殖器里。

那张报上载了十几篇这样的故事。我知道像这样惨无人道的事不是发生了一次两次，实在是发生了千百万次。但是什么东西促使这些日本人叙述及写出这些故事，那只能由精通东洋心理学的人来解释。我解释不了。

九　抗日根据地

中国红军的各个部分经过长征集合于陕北时，其总数约有八万。一九三七年中日战争开始后，由于共产党与蒋介石国民政府的磋商，红军便被编入中央军了，但是八万红军之中只有四至五万被国民政府承认，编成第一一五、第一二〇及第一二九三个师，这三个师集合起来形成了第八路军。大约一年以后，“第八路军”的编制被废止时，八路军便被编入第十八集团军，直接受第二战区司令长官阎锡山上将的指挥。从那时起，共产党虽与阎锡山及中央政府时起龃龉，但是他们的军队仍佩带着十八集团军的臂章。他们虽然至少在名义上仍承认自己是阎锡山麾下的中央军，可是他们都乐于自称八路军。

共产党的新四军胚胎于内战时期的红色游击队。一九三七年“七七事变”爆发时，这些游击队便遵照南京统帅部的命令，集合在安徽省南部的长江两岸，编为拥有四个支队的总计一万二千人的新四军。

总而言之，自一九三七年中日战争开始起至广东、汉口沦陷止，日本军多少是有点藐视共产军的势力，而集中他的注意力于国民党军队。随着这两个大城市的沦陷，从内战时代便为老练的游击队的八路军，在敌后便开始了积极的活动。他们特别注意敌人的华北交通线，因此敌人便不得不向后方调回大兵以扫荡共产党游击队。敌人的数次扫荡战在一九四一年及一九四二年间达到了最高峰，结果共产党统制区的人民由一亿急减到五千万。但是，共产党仍不屈不挠继续组织民众抗敌。共产党用洞穴战、坑道战、地雷战、栅寨战以及其他对付特别环境的战斗形式，来反抗敌人的“坚壁清野”、“三光政策”及“毁灭性战斗”等战术。此外更有两百多万的国民兵与八路军及“敌进我退”的游击队保持密切的合作，日夜扰乱敌人。同时，共产党工作员更帮助人民组织行政制度；建立以秘密投票而选举的民主政府；实行减租减息及保证佃户缴纳租税等改革。他们开始了生产运动，正规军及游击队在不作战时都一律参加生产。

一九四三年前后，经过一连串的坚忍不拔、誓死不屈的长期反抗之后，共产党又收复了他们的华北失地，并积极地扩张他们的统制区。他们现在领导着九千万从敌人铁蹄下解放出来的中国民众。他们的军队在北至绥远的东四省，东至太平洋，南迄海南岛、广东，以及沿着长江几乎达到上海的广袤数千里的战线上进行着英勇的斗争，他们在北平、天津、青岛等大城市近郊便敢公然活动。

这些完全以夺自敌人的武器所解放的广大地区，今天已被编为十五个半自治的抗日根据地。五个在华北，即：山西——察哈尔——河北，山西——河北——河南，山西——绥远，河北——山东——河南及山东。八个在华中，即：江苏中部，浙江东部，江苏北部，淮南（淮水以南地区），淮北（淮水以北地区），江苏南部，安徽中部及湖北——湖南——安徽边区。二个在华南，即：海南岛及广东近郊。

华北抗日根据地位于陇海铁路以北，西至黄河，东迄黄海及直隶湾，北至内蒙的包头及百灵庙附近的各据点以及察哈尔的多伦、热河的赤峰及辽宁的 Mienchou 一线。整个抗日根据地包括了山西、山东、河北诸省的全部及绥远、热河、辽宁、察哈尔、江苏、湖南各省的一部，其面积为三十七万平方哩，人口有八千多万。

整个抗日根据地是一个大平原体系，许多连山复杂的地形错杂排列在这个大平原上。军队住在山里，人民住在平原上，彼此相扶相助以尽抗日的大任务。抗战初期，敌人曾占领了中国的大平原，孤立并包围了山里的红军。后来，敌人知道自己无法使八路军饿死，于是便发动前后数次的扫荡战。结果，扫荡战也毫无成效，终归泡影。其间敌人更建筑了许多新铁道及九万余公里的汽车路。敌人在铁路及公路两侧挖了深而且宽的壕沟，此外他们更以数千座彼此能互相保卫的据点及碉堡来保护他们的交通线。据点与补助的碉堡如网一般地散在村庄各处，封锁山里的红军并控制低地的游击队。

但是，共产党却始终一贯地向敌人作无情的斗争而继续膨胀。因为共产军能与人民保持密切的合作，所以他们不但能保护他们自己，而且更能主动地对敌人发动反攻。到一九四四年夏，在过去十二月之间，他们攻占并破坏一千三百个碉堡与据点。当人们想起共产军以云泥之差的劣势对抗敌人时，共产军的成就几乎是令人难以置信。我在延安听他们讲的时候，我也不相信，但是后来我到了沦陷区，与在敌后活动的八路军共处了两个多月，我亲眼看见了他们攻取并破坏敌人据点与碉堡，因此，我得到了一个确信，就是：共产党的发言是绝没有虚张声势的地方的。攻势只是受武器及环境的限制。华北抗日根据地的八千万人民之中已有五千万从日本底铁锁下被解放出来了。此外，现在被敌人占领着的大城市如北平、天津、太原、济南及青岛等处，昼夜受着八路军的不断的直接威胁。遗憾的是：八路军缺乏武器，他们无力把这些大城市马上就收复。

华中抗日根据地横跨着长江、淮水、汉水及黄河，东起浙东，直达洞庭湖北岸，北至陇海铁路。这块地区包括江苏、安徽、湖北三省的大部及湖南、浙江两省的一部，其中有一些中国最肥沃的产米区。华中抗日根据地绵亘十三万平方哩，人口约有六百多万，四周绕以高山，根据地便建在大平原上。运河纵贯着，湖沼散布着。在这个地区里，新四军于过去七年间曾对敌人作了可歌可泣的英勇斗争。

这块地区是全中国交通最发达的地方，京沪、津浦、平汉、陇海、淮南、浙赣、粤汉及沪杭甬等铁道都交叉在这个地区里。汽车路也比较发达，共长约六千哩。敌人与在华北同样，把这些交通线也用坚固的工事防守着，并划分成“区”封锁新四军。共产军以广泛的地雷战及破坏交通线战术对抗敌人。因此，敌人便不得不驻屯九个半师及十三万伪军的重兵来镇压新四军。太平洋战争爆发后，敌人向威胁华中心脏的新四军发动了三次大扫荡战。可是三次战役，敌人都惨败了。新四军不断地压迫着敌人，把可能用于其他更活动更激烈的战线的庞大敌军彻底地牵制住了。

一九三八年广东沦陷以来，华南游击队一直便留在敌后，在广东九龙一带活动。一九四四年前后，他们的力量已足以统治七万平方哩的地区及一百万人口。一九四三年十月二日，东江抗日政府发表即日起接受延安共产党中央委员会的全面领导的声明。东江纵队主要的是沿着广九铁路集中他们的力量，在这条铁路线上他们便时常使车辆出轨并时常袭击守卫铁路的敌人。他们以敢冒险而博得了盛名，有一次他们竟炸毁了一座就在九龙城郊的大铁桥。

香港失陷后，暗中随意出入香港的东江纵队救出了数十位中国人，其中很多是重庆政府的要人。此外，美国及英国的市民与军事人员也被救出很多。有不少的被打落在香港附近的美国飞行员，被东江纵队救出送回基地了。

一九三九年日本占领了海南岛后，岛上的共产军向敌人的粮库、飞机场及交通线发动了无数次的袭击，迫使敌人不得不以重兵驻守该岛。东江纵队的希望是：将海南岛准备为太平洋大反攻时的盟军登陆地点。

一〇　军事记录

因为设在延安的八路军及新四军的总司令部至少在名义上仍是受重庆最高统帅部的指挥，所以他们定期地将共产党军队的军事活动呈报国防最高委员会。下面就是共产军自中日战争爆发起至一九四四年夏止军事记录的概括。

八路军及新四军合计占全中国抗日军队的五分之一弱。这些共产军与现在驻在中国境内的日本军的百分之四十九点五经常地立于交战状态中，同样，他们与百分之九十以上的伪军经常接触（关于这一点世界比较少闻）。在过去七年抗战中，共产军曾打了九万二千多次仗。他们杀死并杀伤一百十多万敌人及伪军，并且俘虏了十五万敌人。战利品有三十二万支来福枪（这些足够以“五人三支枪”的比例装备五十四万人）、九千挺机关枪、六百门炮，以及无数的战壕车、掷弹筒、手榴弹、弹药筒、无线电、电话等杂物。他们打死了五十个日本高级将领，其中有一个中将及七个少将，其余的都是上校或少校。在同一期内，共产军死伤共有四十余万，内有上校以上的将领五百三十五人。

参谋总长叶剑英对我说：

> 一九四〇年以来，我们就从未从中央政府得到一粒子弹、一个铜板及一粒粮食。所有这些成就都是我们用血肉拼来的。但是，有一个例外，那就是我们曾经通过最高统帅部从苏联得过一百二十支机关枪及六门平射炮。

以上一席话回答了罗泽闿责备共产党时所说的“在过去六年间共产党就连一次仗都没有打过”。我们要知道：四十万的战死者几乎等于现在的八路军及新四军的总数啊！

共产军为什么能获到这样巨大的成功呢？依照副总司令彭德怀的说法：“那主要的是因为共产军的官兵都

有非常旺盛的斗志。”这种斗志就是坚忍的政治训练的结晶。

彭副总司令在一个记者会见席上说：

> 某种军事计划的完成，主要的是要依靠军官及士兵的勇气、自信、战斗力及团结心。我们军队中的政治工作就是要提高这种特性。只有口号及标语是没什么大用处的，最重要的是要实行渐进式的教育。我们向我们的军官及士兵的脑中灌输国家意识，使他们洞悉敌人的阴谋及敌人的本质。我们更告诉他们：拯救中国民众于现在的痛苦的唯一途径就是彻底反抗日本侵略者，直至最后胜利到来为止。我们不流血、不流汗便绝不能获得中国的独立与幸福。
>
> 同样重要的是官兵间的密切合作。在过去军阀时代，军队官兵间根本就没有亲密可言。军官虐待士兵已司空见惯。军官常以极轻微的不快而迁怒士兵，妄施以毒打或痛骂，并且更无理地向士兵要求绝对服从。这种恶习惯一直

到现在还没有百分之百地绝迹，所以我们须从速创造积极的团结心，养成友爱及互相尊敬的风气，并提高同甘共苦、同生共死的精神。

在我们的民族解放战中，我们必须借助民众的无限的潜在势力。我们必须组织他们，教育他们，武装他们并领导他们打游击战。为着确保他们对我们的拥护，所以我们必须遵守严格的纪律；我们的军队必须言语温和，态度和善，买东西须付钱，借东西须退还，打破东西须赔偿，弄乱东西须整理清楚。在出发之前我们的士兵更须作一番纪律调查，以免在无意间对民众做了错事。

一讲起八路军的政治工作来，平常寡言少语的厚嘴唇的彭德怀，便口若悬河滔滔不绝。那些政治工作对于他并不算新颖。那些知识及觉醒，都是以前内战时的经验的结晶。在内战时，他带着一批装备很可怜的革命军参加了毛泽东、朱德、贺龙以及其他红色领袖的革命队伍。他们团结在一起，向围剿共产党的排山倒海之势的国民党军队抗衡了十年。共产党的政治信念及教育工作，支撑了他们那个惊天动地的“长征”。这个有组织的大移动，在人类史上只有拿破仑的莫斯科的撤退可以媲美。

一九三七年，日本突袭北平，掀起中日战争的前一夜，我在他的陕南司令部第一次会见他时，他就把“长征”的始末讲给我听了。那时他就说：“中日战争实在像箭在弦上一触即发，但是我们已胸有成竹，我们军民的抑敌意识将补救我们武器的缺乏，我们更有使之不尽用之不竭的人力及长期消耗战所必需的资源作为后盾。”

粗野辛辣的贺龙，在说明共产党的珍奇的军事记录时是非常简单明了的：我们的弟兄们一点也不怕日本鬼子。完啦。其实贺龙是什么都知道的。中日战争开始不久，使北平开出的日本机械化部队劈头第一次尝到大歼灭的滋味，就是贺龙亲自率领他的部下干的。日本曾夸称要在三个月内征服中国。目空一切，藐视中国军队，自矜机械化的日本军，一路以破竹之势由华北向南直下。中央军好像一群狼狈的丧家之犬望风而逃。贺龙不但不参加撤退的中央军，反而将他的内战时代的老斗士们隐在一旁，让日本军如怒涛吞沙洲般地涌过去。在平型关的隘路上，游击战的神将——贺龙，绕着前进中的日本机械化部队主方散了一圈哨兵线。掉下陷阱的战车及炮车，彼此乱冲乱爬，喧天震地，企图逃跑。他沉思地自言自语道：“我们给他们一个致命的打击。”然后他对我说：“我们掳获了一些战车及装甲车。但是因为我们不知道怎样驾驶这些鬼东西，所以我们除了把它捣碎之外，真没有别的好办法。总之我们没能利用那些东西，那些东西对于我们是障碍物。除在大平原以外，战车很少有用处。在大平原上，我们能够而且很容易就把平原切断，使战车几乎不能驰骋。”

日本的飞机也不能给贺龙及其他经过长征的部队任何恐怖。他们在十年内战及两万五千里长征中，已饱尝飞机的轰炸及爆击，日本的急降低飞飞机已不能伤害他们。反之，贺龙却大胆地袭击了阳明堡日本飞机场，破坏了三十架敌机。他说：我们没虚发一粒宝贵的子弹。我们用大刀及手榴弹就冲进了飞机场，把飞机都打垮在机场上。此外我们更破坏了敌人的机场设备。

“贺龙”是今天全华北民众所熟知的名字。内战时他的绰号是“共产党罗宾汉”。一九二七年国共分裂之前，他曾是一位国民党军队的司令官，但是由于国民党惨无人道地屠杀群众、屠杀同情共产党的嫌疑犯，他深深地感到国民党的可恶，所以他就参加了为生存而坚持长期斗争的共产党。一九三五年，他率领五万部下由湖南出发参加长征。他在西藏边境与朱德及共产军的主力汇合。那时他的人数已减了一半，几千人活活地饿死了，几千人战死或受伤死了。因为他们必须且行且战，与一切的天灾人祸斗争啊！

一九三七年，当我在陕西访问贺龙及他的部队时，他们不过是才经过长征到达陕西而已。一九三七年七月七日夜里，我正在他的司令部。日本军袭击卢沟桥的情报当夜就到了。这个有名的袭击便掀开了亚细亚大战的火药箱。人们也许会以为贺龙除了打算在一个可怖的长征后休息休息外不再想做什么了吧？可是事实正是相反，在翌晨的大会上，贺龙及他的部队不管蒋介石及国民党同意与否，马上向日本宣战。

从那第一次大会以来，七年之间，贺龙差不多一点儿也没变。他仍是一位语声粗哑神气十足的斗士，他仍吸着他那支用布缠着的烟斗，在他那副英俊的四方脸上的好耍怪的眼睛仍反映着他的长春不老的幽默。他现在正患着神秘的肺病，他的朋友们没法能劝动他入院休养，因为他是一个非常讨厌进病院的人。我们谈话的时候，他拿着苍蝇拍子在屋子里踱来踱去。他没受过什么教育，他以深切体贴部下的痛苦及理解部下的苦衷来弥补这个缺点。在华北民众之中，他几乎是共产党领袖中最孚众望的人物。现在他虽然是边区的卫戍司令，但是他的积极活动的日子绝没有过去。这次大战结束之前，大家将能听到他的更生动的活动。

红军与中央军合体之后，贺龙便率领着他的一一五及一二〇两师开进山西，在同蒲铁路一线与敌人对抗。他适时地开到了山西，他把敌人要切断华北交通线以征服华北的全盘计划粉碎了。结果日本必须一时停止南下，转回头在后方对付贺龙。这个给予撤退中的中央军一个喘气的机会，利用充分的时间构筑阵地来对抗敌人。他稍稍有点儿自豪地说：

当时我的部队就是那些惊弓之鸟的国民党

军队的强心剂啊！我们称他们是日本军的“向导”，因为他们在前面跑，日本军便顺着道跟在他们后面赶上前去。

与日本军作战虽然是一件比以前内战更危险更困难的事，但是贺龙仍非常注意在作战的地方组织民众。他说：

如果没有民众的帮助，我们就不可能存在了。我们从以往的经验深深知道这一点。当我们的部队开到某村庄之前我们先派一队宣传员向民众说明我们开来的目的。告诉他们：日本鬼子正在破坏我们的国家，我们是来打他们的。我们需要民众的帮助，我们需要民众崛起抗敌以保卫自己的田园及家乡。假使我们要诚心诚意地把我们的生命献给这个民族保卫战，那么我们要求民众的帮助与合作能算为过分吗？我们不该向民众要求：有钱的出钱，有力的出力，放步哨，当向导，供给我们敌情或救护伤兵吗！我们到达之前对民众所讲的理论及我们到达之后所做的模范动作，使我们的名声比我们的部队走得更快。我们到处受民众的热烈欢迎，民众很容易地从我们的独特的宽边草鞋认识我们。

因此我们能在敌后生存，能在敌后作战。因此我们能发展，能膨胀。由于这种缘故，所以我们在过去数年间从日本的铁锁下解放了数百万中国民众，并帮助他们建立了足以对抗敌人的最凶狠的武器的自由民主抗日根据地。

一一　晋察冀边区

山西——察哈尔——河北抗日根据地，通称晋察冀边区，是十五个半自治的抗日根据地中最大最富而最重要的一个。晋察冀边区北起内蒙及东北四省，南至正太铁路，西起同蒲路，东至直隶海湾。全地区的二千五百万人口之中，约一千八百万归晋察冀边区政府直接统辖。归日本统治的其余的七百万，大体皆集中于北平、天津、太原及保定等大都市，这些大都市就是日本所夸称的“华北占领区”的军事据点。

晋察冀边区的事迹也就是聂荣臻的事迹。聂将军是四川人，现年四十六岁，长着一个狮子鼻子。他在一九二〇年根据工学计划被送到法国学工业工学及化学工程，以后他便在西路苏兵工厂及巴黎的雷那特汽车工厂工作。一九二四年他进莫斯科学校，一九二五年回国。

归国后，他便在有名的黄埔军官学校当教官。他参加了进攻汉口的北伐军，但是由于国民党的清党，他便加入了红军。起初他是林彪的政治顾问，以后便在贺龙麾下任师长。一九三七年中日战争才开始几个月，他便得到命令，率领两千名老练的游击队向河北省挺进，他们的武器统共不过一千支来福枪。

当时的晋察冀地区正陷于混乱状态中，所有的地方官及已吓破了胆的数万农民都跟着逃走的中央军一起跑了。所残留下的人已微乎其微，并且已神志沮丧，不能再收割田里已成熟的五谷。土匪袭击无武装的村庄，零零碎碎的几个日本流氓打着太阳旗便到处夺取大城。正在这种混沌的当中，聂荣臻和他的两千名游击队开到了，马上就开始整顿当地的秩序。政治工作员抚慰人民，并劝告他们搜索战场，寻拾遗弃下的武器，用以武装自己。他们以这种苏醒的自信，很容易地便组织起了游击队。此外，他们还组织了一个自愿的补助队及国民兵团。他们从自己之中选出新军官以代替逃往南方的旧军官。

三个月后，即一九三八年二月，聂荣臻已把当地的秩序完全恢复，竟能召集一个建设临时政府的人民代表大会。那个大会是广泛的各阶层的代表大会。出席的代表中有文质彬彬的身穿绸缎长袍的大地主，也有穿棉袄的贫农，有几位蒙古人及回教徒，并且还有几位身穿红道袍的西藏人，也来代表少数参加大会。许多人必须通过日本的封锁线，有些人来自沦陷区，大家在平等的原则上以完全民主的方式讨论一切问题。他们以秘密投票选举官员，他们所选出的九位晋察冀边区政府行政委员，以后得到了重庆政府国防最高委员会及行政院的通电承认，同时重庆也允许晋察冀抗日根据地的存在。

其间，聂荣臻底最初的两千名游击队核心组织，由于新兵的不断增加，很快地就膨胀起来了。

聂荣臻一面踱来踱去，一面对我讲道："在最初，我们没有与有战车、大炮、飞机等重武器的敌人作战的经验。"他是一位不沉静的有点神经质的将军，他几乎不能片刻地安安静静地坐着。为着使他的手不闲着，他用手玩着一个小孩子玩的铁球，或者摸着他的派克笔（共产党以派克笔代勋章赠给在共产军中有特殊功绩的人）。

"可是在另一方面，日本军从来也没遇着过像我们这样精通游击战的劲敌。为着芟除我们对他们后方的威胁，他们开始以传统的正面突击来打我们。他们用特造的重炸弹来夺取我们的据点。他们把那个据点占领之后，便以为战斗完了。但是我们不过只是从那个据点疏散一下，绕到敌人后方打他们的后面罢了。所以我们经常地切断他们与根据地间的交通线，迫使他们撤退。”日本军虽然有五花八门的机械化重武器装备，但是对于拒绝作阵地战的敌人真无用武之地，极端的变动性是他们对抗日本军的主要有利点。每次战斗，聂将军都是以二比一的比例得胜。日本军只在聂将军发动打仗时，才能与他的游击队作战，否则，日本军便无从寻见游击队的踪迹。聂将军在有利的条件下才与日本军作战，举个例说吧！聂将军讲给我听有名的涞源战役。那个战役是日本军派了一千名配备重武器的部队，要寻我及消灭藏在山里的聂荣臻游击队。

我们把日本军引进一个广大的袋形地区，然后便在天晓之前出其不意地加以袭击，把他们赶进一个小峡谷里。在那个小峡谷里，我们以十倍炮火歼灭他们。结果，他们遭到一个连从骡背上卸炮时工夫都没有的致命打击。除了几个日本兵单身逃脱了这个大劫之外，根本就没有活下的敌人。至少，在战斗结束之后，战场上连一个带活气的日本兵都没有，敌人的大炮成了我们的宝贵的战利品。我们费了很多时间才学会怎样使用它。我们学会后，使用它作攻击敌人碉堡的利器。

阿部中将因那次可耻的惨败而恼羞成怒，决定亲自率领一千名大兵前来复仇。与从前一样，我们躲在山里，然后我们便突袭敌人。结果，阿部中将和他的大部分幕僚，在还不知道子弹由何处而来之间就被打死了。残存的日本兵拍电求援，飞来几架飞机，从飞机上有十名日本兵跳伞降落，但是在第二天，我们差不多把这些鬼子也都打光了。第三次的一千名再增援部队又开来了，我们也让他们进来，但是在那天傍晚，三千名鬼子中只有三百名漏了网，逃回他们的根据地。

聂将军格格作声地说：我们拾了很多宝贵的来福枪、掷弹筒及其他的武器。他的成功激起了全晋察冀的民众，他又得了数千新兵。为着替阿部中将复仇，日本调动五万精兵，要发动一个野心勃勃的大战役，打算以“铁网”将八路军活活围住，然后便把他们从五台山大根据地打出。聂将军的部队就从这座山下来袭击涞源的敌人。当时守五台山的八路军主力，可巧是王震的三五九旅。

敌人采用恐怖战术，看见东西就烧，捉住人就杀，因此情势就开始对守卫者不利了。他们的笼城之战引起了世界的注目，竟使英国政府发出关于聂将军的运命的探询。汉口已沦陷了，从前豪语中国军不能作战壕战的日本军这回更断言：在游击战方面中国也失败了。

在庆祝五台山大捷的时候，日本军有些过于乐以忘形了。静待良机的游击队，潜过了严密的铁网，在敌后又重新组织起来。组织妥当之后，他们便向敌人痛击，使敌人大乱，被人恨得入骨的日本军成为奢侈的失败者，终于不得不放弃那个战役。

日本军彻底地醒悟了，他们毕竟认识了聂将军部队的实力，他成了全华北日本军据点的威胁。日本军当局指派一位最有能力的战术家锐意研究聂将军的游击战术。一九四〇年，那位日本战术家策划出他所自夸的“广布分散战术”及“蚕战术”。他们将设在咽喉要地的据点网广布地散开，然后便开始“蚕战术”的蚕食进攻。所谓的“蚕战术”，就是他们渐渐地扩张他们的据点网，使据点一天比一天多，据点间的距离一天比一天近。日本军就打算用这种办法减削支持八路军活动的地区。因此，朱德麾下的八路军便向日本军开始了一个大胆的总反攻。这就是自一九四〇年八月至十一月间的有名的百团大战。他们先袭击铁路及公路以破坏敌人的交通，然后便向比较孤立的据点及碉堡进攻，他们用掳获过来的日本大炮一个个地将那些据点及碉堡击碎，惊惶失措的日本军不得已便从前哨的据点撤回，沿着铁路及公路而集中兵力，他们沿着交通线建筑了更新的更多的坚固据点。新碉堡都经过了一番详密的设计，并且都试验过足以挡得住他们自己的野炮的炮击，新碉堡是上下两层而且还有一个深深的地下室。即使地面上的碉堡被破坏了，他们还可以守住地下室继续作战。这些小要塞更用两道深而且宽的壕沟及数层的电网和木造的爆陷坑围着。

聂将军继续说，我们由掳获的日本文书知道：日本当时已准备好了促进太平洋战争的各种准备，并且当时正计划以华北作人力及资源的广大的仓库。他们等不及“蚕战术”的成功，所以便发动一次大规模战役，企图一劳永逸地将八路军打出华北。关于这点，我们当时一点也没惊惶。他们调来大约有七万日军及三万伪军的大军。他们把北岳地区水泄不通地大规模地包围起来了，然后他们便再开始向位于中心的五台山进攻。如果他们真的打胜了，那么他们便将由五台山下到平原，粉碎八路军的最后反抗。此后，他们便可将精力集中于迫在眉前的对英美大战了。

聂将军很雄劲地说：“但是，他们又失败了。他们在恼愤之余把眼睛所能看见的东西都破坏干净，要使八路军及民众无生存的余地，这就是他们所说的‘放水战术’，海水干时鱼就再无生存之理了。”

丢盔弃甲的日本军又撤到自己的据点。在报纸上他们自己也承认失败了，他们说“日本军好似一匹勇猛的狮子，它不能捉着猬集成群的老鼠”。

太平洋战争爆发后，日本军又来一回“蚕战术”，他们真的又建筑了数千座相距半哩或二哩的据点及碉堡。聂将军说，日本人简直是在河北大平原做了一个堡垒林。我们的活动虽然遭了严重的阻碍，但是我们绝不退转，仍在堡垒与堡垒之间活动。他们来我们就走，他们露出头我们就切断他们的尾。但是对于我们自己，这却是一个无胜算的战法。敌人能着着实实地一天一天侵噬我们的领土。日本鬼子赶着老百姓给他们修理走战车及装甲车的公路网。与此相反，我们便动员民众在夜里破坏这些道路。第二天日本鬼子照例地来巡视一番，看见被破坏的地方便令民众再修好。对于民众，那简直是一个过重的负担，使他们几乎没工夫种地。我们觉得我们非以别的办法对付这个威胁不可。那时的情势是：日本鬼子在表面上真的很快地便占领了华北人烟稠密的肥沃大平原。好！我们与民众一齐动手，我们决定组织民众、武装民众并且帮助他们保卫自己。

这种办法常常是一位游击队司令官最终必归的中心点。我们教老百姓怎样做地雷及手榴弹。我们教他们怎样放枪，怎样破坏敌人的交通线，怎样保卫他们自己的家乡及田地。我们教了他们坑道战、地雷战、壕沟战、麻雀战以及其他十余种新战术，用以对抗从据点及碉堡里出来的敌人。我们获得了超乎最乐观的预期的成功。民众渐渐觉得已恶贯满盈的日本鬼子再没有可怕的地方了。他们决心打回老家去。日本军以毒恶的讨伐军前来复仇。但是，当他们的战死者惊人地累积起来的时候，他们便像被刺了一下跳回据点；并且因为日本不能为急需更多兵力的太平洋战线的大规模战斗节省必需的增援兵力，所以他们发觉到自己是被困在碉堡里了。以后我们的日渐膨胀的八路军便穿起制服，拿起武器，由守势转到攻势。现在我们已经从敌人的手里收复了比太平洋战争爆发当时的晋察冀根据地更大的国土。我们现在仍然对敌人采取着攻势。

不客气说，当时我以为聂荣臻是对我吹牛，但是几个礼拜后，当我亲身到了敌后前线的时候，我亲眼看见了聂将军所叙述过的种种可歌可泣的事实。

一二　新四军

如果我们关于共产党所组织的抗日根据地的性质及范围没有最低限度的认识，我们就不可能得到中国政治情势及军事情势的明确概念。第一，我们须知日本军占领下的中国领土，在安全的彻底性上完全不能与纳粹占领下的欧洲同日而语。在中国有组织的地方，民众便主动地或被动地起来反抗敌人，关于这个要组织民众的意志，我在延安特别受了感动。一旦反抗敌人的民众被组织成功时，中国的广泛的土地便成为敌人的大难题。因此，日本人所夸称的华北占领区，一般可分为以下数个地带：

（一）真正被敌人占领的地区，也就是在敌人据点射程内的地区。华北人烟稠密的地方，敌人于每两村或每三村便设立一个据点。

（二）抗日根据地，也就是完全由人民以自己选举的政府所统治的地区。在这些地区里，八路军有机动性的核心。敌人只能在定期的扫荡战及与八路军及八路军的补助队作战时，才能借着武力进入这个地区。

（三）第一类地区与第二类间的无人区。这种地区就是真正的游击区。

华中的抗日根据地一如华北的抗日根据地。晋察冀是华北抗日根据地的典型，让我们综合地考察一下与新四军的始末有关的华中抗日根据地。

新四军在一九三八年五月创始时只有游击队一万二千人，后来便渐渐成长至拥有十八万经过训练的穿制服的正规军。他们扩张他们的保护圈，将他们的华中活动区的六千万人民中的三千万由敌人的铁蹄下解放出来。在这支军队全生命的六年间，经过了一万七千五百余次的战役；反抗了敌人所发动的一百二十次的扫荡战；杀死并杀伤了二十四万多的敌人及伪军，并且更俘虏了三万四千多敌伪。他的掳获品有十二万四千支来福枪，二千六百挺机关枪及一百门炮。他们的损伤是：被杀官兵四万五千人，受伤六万五千人。

照重庆当局的说法：新四军自一九四一年一月“安徽事件”以来便不存在了，当时的真相至今还是令人茫然不明。可是共产党说：

新四军从中央政府最高统帅部得到了由长江北移的命令，我们忠诚地接受了这个命令，但是，我们却意外地遭到了国民党军队的袭击。一万名左右的新四军不是被杀便是被活捉了。新四军军长叶挺被俘，现在还被关在监狱里。新四军公然地被解散后，残余的部队便回到延安听命。延安当局从新四军的将校中选出代理总司令，他仿照八路军重新又组织起新四军，我们继续对日本及盘踞在我们后面的中央军进行反抗。

下面是蒋委员长关于“安徽事件”发表的谈话：

新四军的违抗军令，攻击友军甚至于暴动及怠业等恶行，必须加以制止。这完全是彰明军法的措施。除此之外，根本没有政治势力范围及党派关系等问题混杂在内。

一九四〇年十一月最高统帅部命令新四军北移到某某指定地带与敌人作战。新四军不但不听从命令，坐视良机错过，更恣意南下，实行早已计划妥当的动员。竟擅敢于白昼间袭击四十师指挥部。这种公然的叛变行为，便是以军法解除新四军武装的原因。政府于去年曾自重地固守盟约，要求新四军更改素不服从军令的错误，但是新四军却顽强地固执着他的恶魔路线，以致最终走到不可收拾的状态。事态发展到绝对需要采取积极行动的地步。我自己觉得非常悲痛与羞耻，因为部下的错误与失败须归罪于指挥官，我个人对这个不幸事件感觉有责任，你们无论谁都不该感觉欣悦。你们要想起新约中“四百九十次宽恕”的教训。新四军已超过了这个“宽恕”的次数了，假使我自己不愿犯忽视我国幸福的大罪，那么这里便再也没有饶恕新四军的余地了。

当我与新四军代理军长陈毅谈话的时候，陈军长反驳蒋委员长的谈话说：

> 那都是胡说，哼！事实正是相反。究竟是谁先杀谁？究竟是谁先打谁？请你想一想，以我们的劣势军队，我们敢于白昼间袭击一个足以消灭我们军长亲身统率的一万最精锐部队的强大军队吗？混蛋！

陈毅将军刚到延安，在路上走了好几个月。他经过山东及太行山，并通过了数十条敌人的封锁线。他是一位矮而粗胖，现年四十二岁，长着一个狮子鼻子的将军。他生在成都附近的一个大地主家里，在四川某工业学校学过化学。第一次大战后赴法留学，在巴黎及罗连斯住了三年，准备进哥利诺布路电气工艺大学。后来他知道了当时的北京政府篡夺者们正在与法国政府交涉，以华南铁路独占建设权作报酬，向法国借一大笔借款。他参加了中国留学生某团体，开始反对北京政府的行为。在他的激烈的演说中，他暴露了北京政府以秘密条约所借的款项，是用以弹压广东省孙中山的革命运动的阴谋。演说的结果，他被驱出法国。

他告诉我说：

> 那次事件对于我的终生起了一个决定性的影响。当时我觉悟到一个政府一经腐化，则技术方面的进步是无济于事的。

一九二一年他回到四川，在重庆创办左翼报纸——《新蜀报》。他想经过他的报纸把社会改造一些。但是，他终于失败了。他没能感动地方军阀们的心。因此他便去到广东参加北伐。当势如破竹的革命军到达汉口时，他便当了新创办的军官学校的教官。因为当时的革命军要获得四川军阀们的支持，所以蒋介石便派他为特使到重庆及成都。但是当他完成任务回到学校的时候，他便碰到了国民党一九二七年的大清党。他与几个左翼学生逃到南昌，加入了为生存而战的红军。一九三七年红军当江西开始长征时，陈毅受命与一个志愿队的核心组织留守，与当地保持接触及组织游击队，当时除了国民党的“清乡队”所不能大举进攻的深山地带以外，其余的地方当然不可能再保持共产党的农业改革及社会改革。陈毅休息一下然后强调地说：

> 共产党及红军既不是被赶出了江西根据地，也不是我们轻率地抛弃了江西民众，共产党与红军是自愿地在日本要侵略中国的大威胁前为国内和平而放弃了江西。

一九三七年日本开始侵略战争时，困在山里的陈毅与他的游击队才因国民党的讨伐军撤退北上而得到了解放。陈毅与他的同僚请求参加国民党一起抗日。经过长时间的交涉，他们才得国民党的同意。于是，散布在华中八省的数万游击队中的一万二千人被承认编成新四军。新四军遵守重庆政府的命令，沿着长江集中在上海及上海——南京地区。重庆政府允诺在华中赤区解决土地问题，允许共产党参加地方政府并补给新四军抗日。

陈毅坚决地说：

国民党破坏了所有这些诺言，我们请求抗日完全出于自愿。否则我们很可能仍自由自在地留在我们的根据地里不分青红皂白地牵制国民党军队。

当新四军由长江地带移防时，长江一带的守军都不允许新四军入城。可是，相反地却有很多人从城里逃出加入新四军。照陈毅说：新四军很迅速地就增加了十万左右的生力军。但是，他们却被严命不许增加数目，他们虽然于一九三八年到了南昌并在该处设了司令部，但是，重庆政府却没有叫他们开赴长江前线的真意。当年七月他们终于到达了上海、芜湖及南京地区。他们从南方开到长江的军力是八千人，其余的四千人渡过长江到达了芜湖对岸。

他继续说：

其实，当时国民党军队在事实上已放弃了这个地区。这块地区已成为土匪及统治地方政府及人民的傀儡的天下。我们穿着很像日本军服的黄卡叽制服，误认我们是日本人的老百姓们手拿着太阳旗老老实实地出来跪在我们面前。他们发觉我们不是敌人的时候，他们真欢喜极了。我们马上开始与敌伪及地方土匪作战。那年底，我们的军队便增至三万人。这应完全归功于我们的扩大游击战。汉口沦陷以后，日本军一向是看不起中国军，所以他们对我们也不加注意。因此我们得以有机会突袭敌人。我们有时以巧妙的埋伏将敌人和整个连消灭。亲眼看见我们奏功的老百姓们争先恐后地来参加我们。他们特别对于我们士兵的纪律感到满意。我们的军队严禁向老百姓强取任何东西。在我们行军时，我们一定先与当地的长者打个商量，然后才令军队驻扎过夜。我们的军队把屋子打扫干干净净，而且在我们离开以前把各种东西都整整齐齐地放回原位。由是观之，那么有很多人要参加我们底队伍还算什么稀奇吗？我们欢迎所有要抗日的积极分子。我们以抢自敌人的武器把民众武装起来，把他们训练成国民兵。随着我们军队数目的增加，我们愈觉得局促于南京附近的小地区的困难。我们的活动被最高统帅部的命令束缚在这块小地区里。此外敌人更开始对我们备加注意，以劲旅对我们的过量大集中发动攻击。所以我们觉得还是将兵力散开渗透到敌后为妙。我们的这种行动，大概就是我们与国民党最高统帅部间的第一个症结。国民党最高统帅部严令我们集中留守在指定的地区里，但是，这个区域很明显地就是敌人攻击的脆弱目标。正当这个时期，降敌的国民党军队一天比一天多。在这些降敌的军队中有 Yu Tso-Pei 直接指挥的在上海——南京地区活动的直属 ×× 的忠义救国军。忠义救国军的一部分马上加入了城中的傀儡，其余的停在城外的村庄里。由于他们把他们的军队分成两部分，所以他们能两面工作，全线无战事地活下去。可是，重庆政府却命令我们新四军至少在十天内非作战一次不可。但是，每当我们袭击城里的伪军时，×× 便骂我们说我们

> 打他的军队。一九三九年五月以后，继汪逆精卫的建立傀儡政府，有五万名××系军队在He Shing-Chin指挥之下投降于日本。一九四一年李长江麾下的五万名又投降于敌人。我们新四军必须与这些叛逆者作战。这群新傀儡熟悉当地的地形，所以我们与他们作战时吃了很多苦头。

事虽始此，但是，新四军在恶劣的条件下仍继续生长，作继续扩张它的势力与活动圈。“安徽事件”以后，共产党中央执行委员会军事委员会指派陈毅代叶挺为新四军军长。同时共产党更决定：新四军受延安朱德总司令部的最高指挥。

日本军采取了各种各样对付八路军的战法与新四军作战。敌人时常在秋收后，也就是当五谷剩在平原上很少，甚至于没有掩护新四军的东西时，才发动扫荡战：“坚壁清野”战术，就是用以根绝新四军，使新四军失去躲藏的地方的战术。日本军说：“扫荡战好像是梳头，而‘坚壁清野’却是剃头。”

陈毅说：

我们觉得我们自己像大力士似的始终不停地在斗争着。因为我们根本没有补给我们作战必需品的后方根据地，所以我们必须经常地发挥主动的能力，寻觅敌人的弱点，为着抢夺武器及给养而打敌人。加之攻击是最好的防卫啊！当敌人集中而我们感受重压时，我们便暗中散去。因为我们的武器落后，弹药缺乏，所以我们主要的是在夜间用大刀及手榴弹作战。我们更向敌人作宣传战、呼喊战及优待俘虏。一方面游击队与新四军在上海、南京、汉口等长江沿岸大城的城边活动，他方面则正规军在距这些城市平均一日的路程内保持着根据地。他们握有上海以北约六十哩的沿海一带及距南京城二十哩、距汉口三十哩等地区。大反攻开始时，我们将成为收复这三个华中最主要的大城市的先锋。

当然，他并没表示新四军自己便可能或将要做这件大事。他说：

> 由于我们缺乏武器与配备，所以我们所能做到的最大限度便是与敌人纠缠不休地打下去。为着把敌人一下子就打出去，我们需要国民党中央军的全面的合作与协力。此外我们更需要同盟国海陆空的援助。

一三　国民党对共产党

一九四四年十月十日中国建立三十三周年纪念日，周恩来代表中共发表一个重大声明，这个声明特别有研究的价值，因为它概括了共产党对国民党的整个态度，及两党间由来已久的差别，此外它更暗示着两党合作有着怎样的困难。下面包括着这个声明的最重要的部分，由此，我们可对两党间的争论得到更进一步的理解。

现在全世界都在战争状态中，我们的同盟国正不屈不挠地前进着，最后胜利已经在望。但是在我国战场，正面战线与敌后战线彼此成了一个尖锐的对比。在正面战线，是屡战屡败；但在敌后战线，是屡战屡胜。河南战役，中国在四十四天之内丧失了五十五座城池。在湖南、广西战役长沙、衡阳等大城已陷入敌手。其他城市也在相继沦陷。今年中国为什么发生了这些一连串的惨败呢？为什么这种惨败正当日本在中国以外各战场情势日渐不利的时候发生呢？这绝不是一个简单的问题，这是因为国民党只依靠外国势力抗战，而自己却在准备内战的败北政策；这是国民党在他们的统治区内施行排除他党，以法西斯手段压迫并榨取人民的一党专政政策的结果。在军事方面，国民党当局至今只允许政府实行抗战而不希望人民参加战争，因此之故，我们在敌后的抗日行为便一直被毁谤为“军事割据”及“违抗命令”。所谓“军令”便是重庆政府坚决反对动员并组织它的统治区内的人民的“军令”。反之，政府却以武力拉壮丁，把壮丁如同囚犯似的绑进军营。重庆政府的征兵制度就是压制与崩溃的源泉。因此，军队中的新兵便一天比一天减少，军队便愈打仗愈变弱，加之，国民党政府坚持着积极反共消极抗战的反常政策，所以当我们在敌后英勇地作战时，便被侮为“叛党”或“叛军”，而遭到国民党军队的不合作及不停的袭击。在另一方面，他们——国民党军队，在正面战线却从他们的阵地一味地观望战事，根本就没有举行反攻的任何企图。敌人不来时，他们便大举走私并鱼肉人民；敌人以小部队攻击时，他们便装出作战样子以欺瞒人民；当敌人以大部队进攻时，他们一下子就撤退数百哩。更可恶的是，他们在一方面装出抗战的样子从同盟国骗取补给，分同盟国以血所换来的胜利，但是在另一方面，他们却与敌伪暗中勾结，希望缓和敌伪对他们的攻击，使敌人的锐锋转向敌后的共产党。邱吉尔首相因而不得不将国民党政府的后退与败北认为“很遗憾”，“非常失望与烦恼”。这的确辜负了罗斯福总统所声明的“联合国将每月三千吨援华物资增至两万吨”的事实。这个事实反驳了国民党的“中国因联合国供给不足而遭到了军事上的败北”的遁辞。加之，没有外国援助中国就不能得到胜利的说法，根本是错误的。在敌后，我们的八路军及新四军虽然没从联合国及国民党政府得到补给，但是，他们每天都得到胜利。在中国后方，国民党当局至死不放弃一党专政个人独裁的政治。他们禁止其他政党及民主派的存在。我们在敌后所占据的八十三万七千平方哩的中国领土，我们所解放的九千万民众，以及由人民所选举的包含各党各派的许多民主政府，都被认为“叛区”或“伪政府”。在重庆政府的统治区内，只有一党的统治而无人民的选举。国民参政会的各层代表由县代表至省代表以至全国代表，都是政府指定的御用代表。所有的官员，由村长到国民政府的首长，都是国民党所委派的。这种任命事项都由国民党内一小部的统治者集团所发，其余的国民党员与民主派领袖根本没有说话的机会。所以与其说是“党治”，勿宁说是“寡头政治”。国民党当局打算建立法西斯政权，拒绝实行三民主义。当我们诚心诚意遵守我们的诺言时，当我们努力地实现三民主义时，当我们坚持抗日与打击伪组织时，当我们履行“三三制”时，当我们在敌后与边区减租减息发展生产时，总而言之当我们做这些事情时，国民党当局便辱骂那是“布尔什维克化”、“违抗政府”及“不服从命令”。在重庆政府的统治区内，他们剥夺人民的自由。官僚政治式地统辖所谓自治政府；统制言论；蹂躏文化；独占商业及工业；征课法外重税；放纵国民党特务蹂躏人权，并允许官僚资本家迫害人民企业。这些手段带来了一种极端严重的政治混乱与经济恐慌，他们禁止革命三民主义的宣传，并严禁鼓吹与共产党建立友好关系。这不是法西斯主义还是什么呢？假使这样大错而特错的法西斯主义及失败主义政策还允许继续存在，那么中国人民的前途一定还有更大的危机。为拯救中国于这个危机，为在战争中与同盟国合作，为有效率地准备反攻起见，我们共产党主张国民政府召集全国代表开一个紧急国民大会。我们建议政府马上放弃一党独裁并建立联合政府。我们提议以下的具体步骤能被采用为实现上述事项的方策。

第一，这些代表须由各抗日党派（国民党、共产党及其他党派）及抗日军队（国民党中央军、地方部队及抗日共产党所领导的部队）、各地方政府（重庆政府所统治的省政府及敌后解放区的民选政府）、各人民团体（重庆政府统治区内的各人民团体以及在敌后解放区的，在性格上是国民的而且是人民各阶层代表的各人民团体）；代表额数应依据各区的真实势力的比例而定。为应付事态的迫切要求及便于召集，所以代表的数目须多。

第二，国民政府应于最近召集这个紧急会议；更远的延期也许将重庆政府趋于不可收拾的混乱状态。

第三，这个会议应以孙中山先生的革命三民主义为基准，并应通过应付时局要求及拯中国于危机的纲领，这个纲领必须彻底地纠正现在国民党政府所采取的军事、政治、经济、文化等错误政策。

第四，在共同完成的纲领基础上，紧急会议须建立一包括各党各派的联合政府，以代替现在的一党独裁；这个新的大集会须吸收决心支持抗战及追求民主与统一的全国各党各派的领袖；失败主义者，与法西斯主义者须立即铲除，以保证民主政府之实现。

第五，联合政府须有权改组最高统帅部，召请全国主要军队代表入最高统帅部，并建立一联合最高统帅部，以保证抗战胜利。

第六，联合政府成立之后，须立即采取适当的措置以准备召集经全国人民所选举的国民大会；国民大会于可能范围内须早日召集以开始宪政。

> 只有这种国民紧急会议与联合政府，总能给我们一个普遍全中国的，真的民主出发点。只有我们所计划的联合最高统帅部，才能服从政府的命令，与盟军密切合作打退敌人，于反攻时联合国民与盟国国民的努力。

随后周恩来提到国共两党的谈判。这个谈判——自一九四四年四月便开始了，不过只有一点成就——共产党提出十二条建议，及八条口头提议。中共代表林祖涵携此到重庆交涉，经过多次口角及迟延之后，中共于一九四四年六月五日接到国民党政府的反提议。这个反提议的第一、第三及第七条（都是关于军事问题），遭到了中共的激烈的抗议。中央政府主张从五十七万共产军中抽出十万人，以十个师编成四个军；国民党更要求除上述十个师之外，所有其余武装势力（内包敌后的两百二十万国民军）须立即解散；编成的十万人须从他们现在的战区撤出并集中，准备听命。

在政治方面，国民政府稍有让步。政府承认陕甘宁边区的特殊地位，其行政机关直属行政院。但是，政府却要求中共将中共在抗日根据地所建立的政府交给各省政府所派遣的官员。

关于国民政府的这种提议，周恩来讥笑地说道：

解散抗日根据地的数万军队，实在是超乎理性的要求。假使我们接受这些要求，那么我们真正等于帮助敌人破坏抗战，危害国家了。诚然，我们怎么能够命令抗日根据地的军队及敌后的人民政府清算他们自己呢？谁都知道这是办不到的。在过去七年抗战中，敌后人民建立了五百九十一个地方政府，代表了国民党政府所失陷的七百二十一个城镇的百分之八十二。这个值得赞叹的成功，已成为全中国人民的活动指针。所以打算撤销解放区的观念，就是中国人民抗战意识的威胁——一个象征着牺牲全中国的威胁。

重复地再将要点说一遍：为解决时势的要求，将中国从现在的危机中救出来的唯一具体方案，就是重新组织政府及最高统帅部。也就是建立包括各党各派，停止失败主义者的军令及法西斯主义者的政令的联合政府与联合最高统帅部。我们继续要求国民党承认所有的抗日军队及敌后的民选政府。我们坚决反对解散数十万的抗日军队及敌后的民选政府。中国共产党中央委员会所提出的十二条提议及我们的代表林祖涵同志口头所陈述的八点建议，始终一贯地是国共交涉的基准。

一四　这是共产主义吗？

自一九一一年中国革命至一九三五年中国红军诞生的二十余年间，陕西北部是中国内部最受压迫的地方。当时，陕北的不毛之地与荒山以及人口稀少的广大区域，成年成月遭受着土匪的蹂躏。陕北是鸦片的生产地，而且地方军阀又残暴地施行苛政，勒取重税。

陕北最凶暴的地方军阀是一位拥有十一个姨太太的土皇帝。他是陕北的头号大地主，他完全用奴隶劳动来耕种他的土地。他对于穷苦的民众课赋十余种的重税。他们不但须支持他的军队，而且更须支持为大地主们效忠的私人打手。一九二一年，共产党员开始在陕北建立共产党的秘密细胞。在榆林、绥德、延安等地，当教师的北大毕业生成了这种细胞的核心。以后这些共产党分子与孙中山所领导的革命的国民党合作，他们帮助国民党组织农民组合及工会。他们尽力倡导减租税并武装民众以及反抗无耻的军阀。一九二七年国共分裂时，陕北赤色分子与全中国的其他共产党同样遭到了国民党的通缉与屠杀。在陕北一个地方，共产党就被杀了一万名之多。

以后，两位土著的青年——一位是高岗、一位是刘志丹，又重新开始组织已失去首领的散乱的残余党员，同时他们更得到了当地农民的拥护，所以他们便把国民党军队围困在大城市中了。国共分裂的次一年（一九二八年），他们觉得自己的力量已达到足以开始军事行动、一举就把国民党军队驱出陕西省的地步，他们以武装的农民及学生所编成的一旅军队，攻打潼关、西安间的渭南及怀远。可是，他们的远征终于失败了。国民党派了四营正规军镇压他们的暴动。当时共产党不但武装很贫弱而且更缺乏军事经验。此外他们更犯了以阵地战对抗正规军的致命的错误，结果他们很悲惨地崩溃了。

两年后国民党的延安警备军叛乱时，共产党又重新集在一起，并且与叛军合作，因此他们得到了民众的热烈的拥护，反抗国民党政府的游击队一天比一天强大起来。他们当时的口号是“平均地权”、“耕者有其田”、“取消苛税”、“反抗日本帝国主义”、“打倒贪官污吏”以及“建立民主政府”。翌年，日本进侵东北及华北时，他们决定将他们的“民主游击队”的称号改为“西北抗日同盟军”。他们声明并主张以后他们所要打的是日本而不是国民党。当时国民党对日本的蚕食式的侵略取了绥靖政策，反之共产党却高呼抗日不止。共产党将陕北作为抗日根据地。经过了惊天动地的两万五千里长征，一九三五年十月毛泽东与共产党的先头部队到了陕西省。一九三六年十一月，朱德与其他的红军部队也都前后接踵地到了陕西。陕西共产党被吸收了，高岗当了西北局书记。西北局包括陕西、绥远抗日根据地及陕甘宁边区。共产党开始在陕北建设他们的新天地，其间他们屡次要求国民党停止内战，并向中国民众呼吁制止内战。他们主张形成一条抗日联合战线。几个月后，一九三六年圣诞节，蒋委员长在西安被扣时，共产党证明了他们的诚意。他们不记前仇，不计较与 ××× 的长年间的艰苦斗争，更不记国民党屠杀共产党的祸仇，他们马上到西安劝告张学良为着反抗日本的侵略释放蒋委员长。蒋委员长之所以重获自由，差不多完全是出于共产党的力量。这是一个铁一般的事实。共产党决心在抗日联合战线中巩固国共间的合作，所以在“西安事件”不久之后，共产党便提出了有名的“五项建议”及“四项诺言”。“七七事变”爆发后，国共间成立了协定。一九三七年十一月二十二日双方共同签字，国民党接受了共产党的建议与诺言。共产党自愿地将他们的西北苏维埃更名为陕甘宁边区，停止没收土地，建立经过普选的民主制度。他们更同意将红军改名为国民革命第八路军，并且在国防最高委员会及蒋委员长的领导下积极准备抗日。行政院第三三三次院会中，蒋委员长正式承认边区的名称与地理疆界。陕甘宁边区的面积约有十三万平方哩。边区内允许住两百万人。可是不幸的是，后来国共间生了龃龉，中日战争不到两年，边区便被数万的政府精军包围起来了。国民党政府造了一条有一万个堡垒的封锁线，现在正水泄不通地围着边区。由于封锁线的渐渐紧缩，结果边区的土地减到九万平方哩，人口也降到一百五十万，除此之外还有八千左右的赤卫军及政府官员。

从内战时代的共产主义发展到代表制的民主主义的政治进步，也许就是边区历史的最显著的特色。一九三八年边区政府开始实行不分阶级、党派、宗教信仰、财产所有权、性别以及国籍的直接秘密投票的普通选举。一九三九年春，边区参议会开第一次全体大会。一九四一年，边区政府依据“三三制”将选举法加以改订。从那时起，“三三制”原则便严格地付诸实行了。譬如边区政府中的十八位首长中，仅仅六位是共产党。共产党的政纲是政府中的非共产党员应与共产党员有同样的地位及权力，而且共产党员更须服从多数统治。一九四一年冬季，边区参议会召开第二次大会。共产党候选人提出共产党边区政治局所起草的纲领，这个纲领是依据三民主义及总理遗嘱的纲领，是他们投票的准绳。它表现了共产党的精神及主张，并且在实施方面共产党领导的参议会已全盘地采纳了它。那个选举告文的要点是值得引用的。

告文称：

共产党员被选为政府官员时：

（1）他们将决意联合边区的各阶层所有的抗日团体，以驱除日本帝国主义的决心，彻底地发展人力、物力、财力及智力，保卫边区、西北及全中国。

（2）他们将始终一贯地促进与友党——国民党，友军——中央军，及所有在边区外的忠诚民众间的融洽，同样他们也将始终一贯地反对投降、分裂及倒退等行为。

（3）他们将提高边区的战斗力，保证他们的物资给养，改良军队的补充及动员制度。他们将努力加强军民的合作，同时他们更将努力加强自卫团及少年先锋队的组织与训练，并充实其领导者。

（4）他们将拥护八路军及国民党中央军抗日官兵的优先待遇，保证物资供给及精神支援。

（5）共产党欲与所有其他政党组织一个选举团，坚决地实行共产党员只占候补者三分之一的政策，以促使各党各派及无党无派者以参加人民代表机关及边区政府。共产党员被选为某行政机关的首长时，他将保证在他的同仁中三分之二是非共产党员。共产党员在行政岗位上须以民主的态度与非共产党员合作。他们将义务地尊重非共产党员的意见，并且他们将不采取跋扈的独立作风。

（6）共产党希望保证地主、资本家、农工等各阶层抗日民众的市民权、参政权、财产权，以及言论、出版、集会、组织、信仰、住居、行动等自由权。共产党主张除有资格执行合法的确定职权的司法机关及公安机关外，其他任何机关、军队组织绝没有侵犯人民的权力。人民有权反抗任何机关的非法行动。

（7）共产党希望改良司法制度及废除囚犯的体罚。他们更主张在审判时证据应重于口供。关于叛徒，除不可救药者外，应不顾其过去的历史，采取宽大政策，而尽教导及改造的努力。犯人不应受残暴的待遇，更不应以刑逼供及写悔过书。关于叛党分子及在边区做破坏工作的反共分子，也应受与此同等的待遇。

（8）共产党主张励行清廉政治，并严罚任何不正当得利与监守自盗等滥用职权的罪犯。共产党反对假公济私，共产党赞同共产党员犯罪时受较严厉的惩罚，同时共产党主张薪水制度须建立在节俭的基础上，所有官吏及其部属所需要的日用必需品须充裕。政府对他们须保证充分的文化生活及休息。

（9）共产党代表主张农业于春耕秋收时动员民众扩大生产。此外他们更要帮助贫农克服困难，使其获得耕牛、农具、肥料及种子。他们建议本年再开垦耕田六十万亩，借以增加食粮四十万担。共产党奖励全国向边区移民。

（10）在土地已被分配的地区，共产党保证已获得土地的农民有所有权。在土地未被分配的地区，共产党保证土地所有权仍归现地主。共产党承认债权者有索债权。政府实行减息。佃农必须向地主缴纳定额的租金，债务者必须向债权者付法定的利息。此外政府更须调整地主与佃农及债权者、债务者之间的关系。

（11）共产党代表建议发展工业生产及商业，鼓励私人企业并保护私有财产权。边区政府欢迎边区外及外国的投资。共产党主张扶助自由贸易，反对独占与操纵。

（12）参议会须调整雇主与被雇者之间的关系，实行十小时工作制；提高劳动生产；奖励劳动训练，并充分地改良劳动者的生活水准。

（13）参议会须计划一个合理的税制。除赤贫的人被免税之外，其余的须适用累进税制，使大多数的民众平均地负担抗战费用。财政机关的组织须加以改革，财政关系须加以调整，国币须加以保护，边区银行所发行的钞票须加以巩固，以促进健全的财政经济制度。

（14）共产党拥护参议会，继续实行扫除文盲政策。参议会须奖励新文字——以拉丁字代替中国的旧文字的教授；改良教育制度，实行广泛的民众教育，改善初小学校教师的生活，并为成年人准备补助教育，国民参政会须制订能加强干部教育的法律，扩充大众性的书籍及刊物，并鼓励自由学习。

（15）参议会须扩充卫生行政，改良医疗设备并欢迎医术人员，以减轻人民由传染病所得的痛苦，同时也给予移至边区的逃亡者以医药救济。

（16）依据男女平等的原则，政府应尽力提高女子的社会地位、政治地位、经济地位以及文化地位，并须积极发展女子在经济方面的创意，保护劳动妇女、孕妇及儿童，并励行基于男女双方同意的一夫一妇制。

（17）依据国籍间平等的原则，参议会须保证蒙古与回民皆享有汉族同等的政治权、经济权及文化权。参议会须为蒙民及回民建立自治政府，并尊重他们的宗教信仰、风俗及习惯。

（18）政府须欢迎华侨来边区学习，参加抗日工作及建立企业。

（19）参议会须给予二流子以务农获得职业及接受教育的机会，并改正官员及其他人士歧视二流子的陋习。参议会须采取争取团结及教育“会门”的政策。

（20）政府拥护对日本俘虏及伪军采宽大政策。对任何欲参加抗战的人皆表示欢迎，并给予友善；释放不欲停留在边区的任何人，他们除特殊例外之外，绝不应受体刑侮辱或强制地写悔过书，同样的宽大政策须无例外地施予被释放后重回敌方而又被捉住的俘虏。此种政策，无论敌人或伪军被捕、被释多少次皆须实行。与此同样的政策，亦适用于攻击八路军与其他任何抗日军的国内军队的俘虏。

（21）政府允许外国人在尊重中国主权及遵守中国政府法令之条件下来边区旅行，参加抗日工作或从事于工业、文化及传教等活动。边区政府须尽一切力量保护因革命活动而被政府追放的任何国籍的外国人。

关于这些提案，无论别人的看法怎样，对于我有两件事是很清楚的：第一，这些提案表现出非常含蓄的而合理的坚强性，借以处理边区现在所处的地位。第二，这些提案至少是构成一个远离我们所想像的“共产主义”的范畴的计划书。

一五　他们是共产党吗？

对于美国人，共产主义时常是一个妖怪。普通的美国人虽然深怀疾忌地承认苏联人在打倒纳粹的战争中尽了莫大的努力，但是，他们仍不愿与苏联政府、共产党来往。在考察中国共产党时，这里起了两个问题：第一是中国共产党与苏联有什么关系？第二是中国共产党究竟是什么样的共产主义者？

在回答第一个问题时，我敢说，在我与共产党共处的五个月中，我没看见中国共产党与苏联有丝毫的确实联系。那里没有苏联的补给，更没有苏联枪炮、飞机的装备。那里也没有苏联军事顾问或政治顾问，在边区的唯一的苏联人便是一位外科医师，他每天在手术台旁边工作十六小时之久。那里还有两位塔斯社的代表，他们是名正言顺地由重庆中央政府发给护照而来边区的。这两位塔斯社记者，在我所看见的范围中，并没向莫斯科拍发任何新闻快报。他们只是搜集新闻材料，并且像今天的美国新闻处一样在战略及政治的中心地向全世界各地发出有系统的新闻而已。

在边区，我时常看见马克思与列宁的肖像，但是，这些肖像也不过只是革命的过去的纪念物而已。与每张马克思及列宁的肖像成正比，我看见了上百张的罗斯福、邱吉尔、斯大林及蒋介石的肖像。在政府官厅里、在商店里、军营里甚至于在农家里，处处都挂着这四位伟人的肖像。斯大林的肖像在边区里并不是共产主义领袖的象征，相反地，他只是反抗法西斯侵略者的与世界联合的同盟国之一的领袖而已。

在此，我们得到了第一个问题的解答：中国共产党不是苏联式定义的共产主义者。现在中国共产党既不固持共产主义也不实行共产主义；的确，中国共产党成立初期，马列主义形成了中国共产党的哲学与实践的指南针。但是，随着时日的进展，中国共产党渐渐发觉了劝说个人主义的中国农民去改变他使自己成为自己的一小块土地的主人的野心而相信新奇的集体制度的困难。中国共产党实行了一而再、再而三的折衷政策。一直到今天，中国共产党并不比美国共产党更富于共产形色。关于这一点，我曾与中共的领袖毛泽东谈论过。出人意料之外的，毛泽东在延安绝不是不可接近的神灵。他更不是一切智慧与指挥的唯一泉源。他的话也不是出口就变成法律。的确，毛泽东的理想与暗示，在树立政策上有很大的影响，可是，毛泽东的理想与建议只不过是中共领导者委员会的讨论的基础及最后的准绳而已。这些中共领导者绝不是只管盖图章的应声虫。所以毛泽东所要出版的东西是第一先经过一番精密的考虑，然后再经过党员的研究才能出版。是以任何出版物的最终形式都是共产党委员们的综合表现，绝不是毛泽东个人的意见。

他派汽车来接我。这辆车是半吨重的救护车，在车厢上写着“野战病院”四个大字，在这四个大字上头画着一个大红十字，在四个字下头漆着纽约“中国洗衣店同盟赠”八个字。

毛泽东在一个小院子的门口接我，院子正面一连串有六个普通的洞。他就与他的家属及亲密的助手住在这里。有时他的年轻而美的太太——蓝苹与他住在一起。蓝苹以前是上海有名的影星，是一位非常富于智力的女性，她自一九三三年起就是共产党员，一九三七年她放弃影界生活来到延安，在鲁迅艺术学院工作。在鲁迅艺术学院，毛泽东对于戏剧的兴趣促使他们结合在一起。他们很快地在一九三九年春便结婚了。他们两人穿得都很朴素。她穿一套睡衣式的服装，在细细的腰上系一条带子。他穿一件手织的粗布衣。我被迎至一间客厅里。这间客厅是六个洞中的一个，有简单的砖地、刷白的墙以及结实而粗糙的家具。晚上，在洞里的唯一光亮，便是粘在茶杯底上的一支蜡烛。主人拿出淡茶、果子及土产的糖果和香烟。毛泽东连续不断地吸着他的延安烟卷。在会见的全部时间他的小孩子们跑进来跑出去玩个不休。他们时常站下向我凝视一下，然后便拿一块糖果又跑出去。毛泽东对他们一点也不加注意。

毛泽东身材很高，肩很宽，大概有五十多岁，但是却好像还不到四十岁，他的眉梢长着浓厚的眉毛，他那副长着两道非常高起的眉毛的脸，由于两只惊人富于表情的眼睛呈现得非常活泼。他很好笑。他轻轻地讲着话，在好奇方面却有点小孩子脾气。他的怪癖是他以有皱纹的唇吸烟时，在吸烟与喷烟之间很紧张地吸气。

他说：

在最初，我们不要争论苏联的社会的与政治的共产主义。我们应先考察一下我们现在究竟在做些什么，其次与林肯在南北战争时所做的比较一下。在中国今天还有几百万被封建制度束缚着的奴隶。中国人民百分之八十是农民，他们都分散地活在一块小小的土地上。这些零碎的土地又大部分属于无法无天的大地主的手里。百分之八十的佃户缴纳土地生产品的百分之五十至百分之八十给地主。这的确是名副其实的农奴制度。

他举吴满有为例说：

在过去吴满有必须缴纳上述的剥削式的地租，以致他自己剩下来的东西不足以养活他的全家。在中国今天有几百万像吴满有这样被压迫的农民。他们的妻子活活饿死，他们必须卖掉或溺死他们的子女，然后他们自己便变成乞丐或土匪，因为他们穷苦到这步田地，所以他们的妻子便迫不得已操卖淫生涯。因为缺乏充分的食粮，所以中国农民很容易就染上疾病。就是在今天的边区里婴儿死亡率仍占百分之五十。

因为要解放这些贫苦的众生并且以农业革命改善他们的生活，所以我们不想像苏联那样走极端地把土地从地主夺过来，然后再重新分配给人民。我承认在过去我们实在曾那样做过，但是，依照一九三七年十二月二十二日与国民党的妥协，我们放弃了这种办法而另采一个缓和政策。这个缓和的政策就是劝说地主们将地租减到合理的程度，同时我们对他们保证减过租的租金由佃户依规按期缴纳。关于这一点，在经济意义上我们是与苏联不同的，在政治方面，我们也与苏联不同，我们绝不要求建立无产阶级专政的政治，我们不拥护抹杀个人独创性的集产主义，在事实上，我们鼓励自己竞争及个人企业，并且在相互同意的原则下我们将允许并欢迎外国在我们的统治区内向商业及工业方面投资。我们所能做得到的，我们都要做。但是，有很多事我们不能做。我们欢迎外国人及外国资本来中国做这些事。中国是落后的国家，所以我们非常需要外国的投资。

关于政府，一如你所知的，我们是相信民主，并且脚踏实地地在实行民主。我们以“三三制”来限制如今天国民党所做的一党专政的可能性。在这一点，我们也与苏联的制度大不相同。在我们的民主政府里，包含地主、商人资本家以及小资产阶级和农工阶级。在苏联今天已不存在地主、商人及小资产阶级。

我问他道：

既然你们不实行共产主义，那么为什么你们都自称为共产党呢？

他底回答是：

这个名称是自昔遗传下来的。你在这里也看见很多事情，足以证明我所说的不错。这足以帮助你了解我们已不是苏联式术语的共产党了。

但是我却固执地说：

那么你们为什么不把党的名称改换一下呢？将“共产党”改为“民主主义党”，“新民主党”或与此类似的名称呢？

他摇摇头说：

别人怎样称呼我们，对于我们及我们的意识是无关紧要的。假使我们突然改换党的名称，那么在中国国内或国外的某些人民便将因袭旧名来责备我们，说我们在企图掩蔽事实。不，我们不能而且也不需要更改名称。重要的是内容与实践，而不是标号。

的确，在共产党中有一些人仍希望在未来的中国有共产主义的出现，周恩来便是其中的一位。他是中共的秘书长，他的权力与势力仅次于毛泽东一个人。

周恩来告诉我说：

我们的终极理想是共产主义社会集产主义。我们不相信在遥远将来的中国不能实现共产主义。可是中国的发展不能与苏联走同样的路线。在中国有许多特殊的阶段，例如在个人生产的基础上我们不采取直接的或激烈的集产主义，而采取合作及变工等方法。其次，从私有原则出发，我们希望将交通机关、银行以及战时工业等大企业归为国有。第三，我们将从减租减息进步到耕者有其田的阶段，最后则将土地也归为国有。第四，在社会各阶层的公平选举的原则上，我们将促使多数的劳动阶级获得选举权；这样选举便是使少数不能支配多数；这就是实现于“三三制”里的精神。第五，在平等的条件下，我们将为国际和平及国际合作而奋斗。这五点就根据了我们所说的新民主主义。这五点也与孙中山先生在一九二四年国民党全国第一次代表大会宣言中所宣布的革命三民主义符合。

一六　中国要起内战吗？

因为我要评定共产党对于抗战的贡献，所以我与朱德谈很多次话。他说：

只要共产党参加这次战争，那么这次战争就是为民族独立及民主而战的长期斗争的继续。这个大斗争自一九一一年大革命及反帝斗争时就开始了。在这里，我们今天的斗争与你们的革命战争有很多共通点。在贵国的革命战争时，因为贵国人民知道为何而战，所以革命得到了胜利。同样，因为我们也知道现在是为何而战，所以我们也得到了胜利。不幸的是国民党募兵的大部分至少在现在仅仅茫然地知道自己是为何而战，这就是国民党的不断歪曲事实的结果。我们的八路军与新四军和国民党军成显著的对比。他们是人民的军队，他们获得了人民的拥护。在这一点上，他们酷似华盛顿底自愿军。他们有创造能力及战斗力，这种能力不但能使他们像正规军一样作战，而且更能像游击队一样作战。

朱德说他已彻底地研究过华盛顿的游击战术，因为这种战术在对抗有优良装备的英国佣兵时收了莫大的成功。朱德的兵与华盛顿的兵一样，他们以高度的动员性及与民众的亲切合作，阻止了残酷的侵略者。这个原则适用在战争上时，“沦陷区”便不是真正的沦陷区了。日本军的大半数必须在“前线”的后方不停地做军事活动，所以都被牵制住了。

我们的八路军及新四军在装备方面的确都次于敌人，但是许多日本军官却交口称赞。当他们袭击我们的时候，每次都扑个空。但是当我们袭击他们的时候，他们每次都遭到严重的打击。理由很简单，就是由于民众的帮助，我们能得到至为珍贵的情报。我们能知道敌人的一动一行，我们仅仅在我们愿意打他们而且在有利条件下才打他们。他们调来大兵时，我们便退而避战，不作无谓的牺牲。可是特别重要的一件事是，我们并不从强大的敌军面前逃走，我们是转进到敌人的后方。我们确信在敌人后方的民众能支持我们，保护我们，以及供给我们给养。我们与少数的敌人遭遇时，我们便毫不迟疑地马上进行攻击。因为我们是采取如此的战术，所以我们始终是站在攻势，我们使敌人陷于苦闷，我们不给他们巩固与开发占领地的余暇。许多日本军官确确实实地向我们说过，他们对我们的杂牌战术感觉头痛。一九三八年在太原西南七十哩的大毛桥，日本卫戍军与我们的行踪不定的部队几次接触都吃了亏。恼羞成怒的日本军司令官最后给我们某团长一封挑战的信，邀他在某时某地对阵作战。那位日本军司令官写道："在个人方面我佩服你的战术，但是那不是军人的作风，那是一种偷窃的与秘密的战术。你敢出来公开一战吗？”当然从敌人方面接到过这样的信的，这并不是第一次，也不是唯一的例子。我们当然不接受他们的挑战。

朱德告诉我说：

在南京附近，某日本卫戍军司令官给陈毅下过这样的战书。陈毅的回答是：“我与我的新四军接受你的挑战，但是我提议：为着决定双方战士们的光荣胜负，我们须以同等配备作战，此外我们更须请中立国代表作审判人。假使我打败了，我就将我的军队撤到别的战线，承认你是一位比我卓越的战斗者。但是假使你打败了，你就得将你的军队撤回日本。”日军司令官得了陈将军的回答后，没作任何答复。

朱德继续着说：

华盛顿以随时随地得到的杂牌武器开始了反抗英国的革命战争，他的军队由英军抢夺武器以求自给。八路军与新四军也是如此。他们在抗日战争中也是由敌人抢夺武器。在美国独立革命的最后，华盛顿由法国得到了援助，把美军从英国的封锁中拯救出来了。假使中国也同样地从盟国得到援助与补给，特别是同盟国将武器供给真正抗日的军队时，那么抗日战的胜利不久就会来临的。

我说：

假使这种帮助因为某种理由不能实现时又将怎样呢？

他说：

那么至少在军事上我们是无力将日本打出中国的。我们缺乏近代的攻击武器，所以我们只能作消耗战。此外我们更须借助于其他有利于胜利的因素。

我问他：

你们特别需要什么样的武器呢？

关于这个问题，朱德并不超现实地谈什么重炮、坦克及飞机等重武器。他马上就抓住问题的要点，他说：

我们现在所急需的是步兵武器，如良好的来福枪、轻机枪、重机枪、打战车炮，便于移动的野炮，以及能爆炸碉堡、桥梁与火车的高度爆炸性火药。我们用这种武器就能随时随地与敌人作机动性的战斗，并且一定能把敌人打垮。

可是朱德坦白承认，恢复被日本占领的大城市时一定需要坦克、重炮与飞机等重武器。他深切地了解政治的及物资的诸种问题。在形式上，英美两国只能与国民党中央政府作直接交涉；援华的战时物资必须不折不扣地交给重庆政府，这两个西洋强国不能将授华物资分一部分给共产军。所以如果国民党反对英美将武器供给共产党时，英美便将必然地束手无策。战争的急迫当然需要一些手续上的变通办法。例如，我们可以决定把武器给予完全离开政治构想纯由军事上要杀日本侵略军的华中与华北的几千万民众，我在内心里存着这种想法。我问朱德：

假使英美经过国民党政府不能供给武器与共产党，共产党有没有与英美军事最高当局直接交涉的准备？

他的回答是：

为了使敌人早日崩溃，我们需要同盟国的援助，所以如果他们表示愿意与我们直接交涉，我们当然是由衷欢迎这种机会。

但是，这里有一个如何直接补给共产党的实际问题。如果我们用卡车或飞机横断国民党的统治区将武器运到共产区，供给的数量即使是微乎其微，我们也将惹起不少的麻烦。可是共产党在今天已控制了中国的大部分海岸线，日军仅仅占据着上海、天津、青岛等几个据点，共产党的游击队经常地在这些大城市近郊活动，所以，能冲破日本海上封锁线的潜水舰可以在数百个地点将供给品运上岸，以后八路军便可以将运上岸的供给品运到后方。当日本海军及空军到了半身不遂的一天，我们的飞机便能够从共产党所控制的海岸基地起飞，保护着武装输送团将供给品运上中国大陆。

以上所说的与共产党直接打交道，只有在国共两党不能合作的情势下才必要。一九四四年初春，国共间已开始了解决彼此敌对的交涉。住在中国的许多观察家，都希望两党能成立一个避免内战、超越武装和平的协定。可是除非有些奇迹突然发生，否则这些观察家在原则上根本就是过于奢望。在重庆的观察家都一致认为：国共两党间的葛藤，除以内战，或将中国分成两部：一为共产党中国，一为国民党中国；之外，一劳永逸的解决，根本就不可能。

我将这些问题都牢记在心头，然后我对自己提出一个问题，就是：美国与其他要在中国战场作战的同盟国，在战后无疑地将他们的武器的大部分丢在中国，因为当同盟军从中国撤出时，须用很大很大的费用才能将大部分的武器运回本国。假使那时国民党仍掌握着统制中国的霸权，那么除掉我们可能留在共产区的武器外，同盟国所遗留下的其余的武器，都将成为国民党的独享品。我所要问的问题是：共产党是否担心国民党在战后要用我们的武器对付他们？我知道共产党曾屡次抗议国民党故意躲避与日本军作战，借以保持充分的实力在战后消灭共产党。

朱德经过了片刻的深思，然后说道：

我们不愿意去想内战。我们一定不挑拨这种战争。但是我们以及其他中国的民主势力准备去保卫经长年战争而得来的民主战利品，并且要对破坏民主的任何反动势力斗争。反动势力的困兽犹斗，不仅是对共产党的战争，那是一个对中国全民众的战争。因为中国民众是与我们站在一条战线上，所以假使国民党向我们进攻，那么他们就得与全中国民众作战。这个战争将成为此次大战的继续，因为第二次大战并不能因日德意的战败而告终。

然后他问我是否相信美国将在中国内战里帮助中国共产党？我答道：

我真的不知道，那将依据此次大战完结时的世界情势及美国的战争消耗程度而定。在战后，世界各国当然要建立一个新国际联盟，每个国家在新国联里都有发言的机会。但是，我怀疑新国联是否有干涉某国内政的权柄。就拿美国来说吧！一直到现在，我们国内还有一些众所周知的孤立派呢。

我除了对他说一遍美国是败北者的传统的同情者之外，我很少有勇气再对他讲别的。

朱德沉思地摇着头说：

无论如何，我们对于罗斯福大总统是有抱绝大的信心的，并且我们确信他将帮助中国的民主势力。他不是孤立派，我们了解他在《大西洋宪章》里所表现的人道主义。我们大家在这次战争中所追求的目的便是拥护民主，反抗独裁。假使在日德意的独裁者败亡之后，在中国发生反民主的战争时，那么在这个反民主的战争的进行中，世界任何角落都不可能有和平与繁荣，为着在战后也拥护民主，所以美国必须在战后帮助中国的民主势力而不帮助独裁势力。我可以提醒你想起美国在独立战争时不是也受过外国的帮助吗？我要请你们对我们做与此同样的帮助。

我问他：

为了民主中国的和平与团结，共产党能否

允诺蒋介石做中国的领袖？

他的回答是：

> 我相信一切都随着情势而变。对于蒋介石，这里有两个方向：假使他尽瘁于促进全中国的民主，并且在抗日战争中尽最大努力，那么他就能受人民的爱戴，我们也将选举他为民主中国的第一任大总统。那时他就是中国的华盛顿。但是假使他效法希特勒，或追从中国古代帝王的先例，或追求他现在的一面抗日、一面避战的双重政策，或继续压迫共产党及其他民主分子，甚或铤而走险发动内战，那么他马上就要失掉人民的拥护。我们共产党期待并希望蒋委员长选择第一条路线。

朱德及其他共产党领袖们关于这点谈了很多。我问朱德关于战后民主中国的形式及内容抱着什么概念？他说：

民主中国的政府必须是由人民选举的，而且是能得到各党各派的合作后拥护的政府。

“包括国民党吗？”我问。

是的，包括国民党。在根本上，国民党是健全的。就是在现在，国民党内部还存在着孙夫人及孙科的民主势力，这两位民主战士如果有机会，便能把国民党带到正确的路上。凡反共分子在新民主政府中绝对没有位置，中国人民不信任他们并且也不愿意选举他们。

这里还有一个共产党的抗日根据地问题。这些抗日根据地已切断了省与省的境界，并且将华北及华中的范围也改划了，我问朱德：在战后的民主中国，这些抗日根据地的状态将如何呢？他恳切地说：那些抗日根据地将一如今日继续存在，成为半自治的地区。因为中国的土地很广大而且各种宗教又以不同的阶段发展着，所以地方自治是必须的。我们现在还没有获得与美国同样的全国性的社会的及政治的统一。

他所预测的未来的民主新中国既不像苏联又不像美国，也不像英国。他所计划的新中国，是由一个弱权的中央政府及许多强力的半自治地方政府组织的新型国家。在这一点，新中国形态与美国的形态成了正相反的对比，因为美国是由一强有力的中央政府及许多只能在地方事务方面推行自治的自治地方政府所组织，在朱德脑中的新中国，有些地方是模仿大英联合国，它是一个财政经济以及外交诸方面都有自治权的自治政府的联合国。

他强调地说：

> 此外我可以指出我们所要如此建设新中国的原因。中国各地的政治社会以及经济的发展非常不均。中国终有达到统一的一天，但是这个统一必须经过由下而上的，并不是由上而下的，渐进的步趋。

和平团结建设新中国，一定会成功（后序）

史枚

福尔曼这本书的译文，我得到在付印之前就细读的机会。但是我没有看过原作，对干译笔我不敢说什么。有几个人名地名和某些用词，我曾想替离开了重庆的未曾会过面的译者填补或再斟酌，然也没有做到。我觉得这本书，足以代表外国许多中国人民的真正朋友，对于中国民主运动及已经实行了新民主的区域的看法。所以，我不好多耽搁时间，把译文送回出版者了。

在目前来读这本书的译本，不能不注意到两点：一是书中关于“解放区”的某些材料及几位人物所发表的某些意见，都是有时间性的；另一是作者在书中的论断，有几处也有时间性的。

这没有什么奇怪。因为实行了新民主的区域从来不曾停止其发展，而整个中国局势也刻刻在变动中。作者写这本书的时候，正是内战危机非常严重，而抗战还未结束，军事上的困难和政治上的倒退和逆流最显明的摆在中国人民的面前的时候。但到目前，日本已经投降，虽然内战形势曾空前紧张过，而由于全国人民反内战的要求与美国对华政策的澄清，召开了政治协商会议，使国共间的“双十协定”（即《国民政府与中共会谈纪要》）有了全部实施的希望，使和平建国的基本方针能够更具体化并将从讨论到行动。这两个时期的不同，应当改变过书中若干处叙述及议论的意义。

福尔曼描写国共两党的抗衡，虽非全貌，却是当时的事实。目前，则很可庆幸的，内战的火药气已在逐渐消散，议会内外的竞争及“建国纲领”的共同执行，将代替无谓的不幸的流血。福尔曼所说的“内战的迹象”，以及他所陈述的延安方面的不平的呼声，都将成为历史的陈迹而不再被人记起。

愿我们早早忘记那些噩梦似的过去。

然要明了“解放区”的实况，靠这本书的叙述，一定还嫌简略。这本书的价值，原不只是把“解放区”的新民主和当时的内战危机忠实的报告给了读者。与其这样说，倒不如说它流露了人民的冲破了国界的同情和正直的美国人怎样迫切希望中国的和平、团结、民主、统一。从而，这本书在目前印出，绝不是要唤起读者去回忆国共“双十协定”和政治协商会议举行前的不幸事件和状态（原作第一章关于特种人的活动，本有详细的揭发，译文已加删节）。它贡献给读者的，是和平、团结、建设新中国的信心，以及这种信心因必获得国际友人的伟大同情而更加坚固。

本文执笔时，政治协商会议已将结束。经过半个月的会内外的商谈和辩论，各问题都已获得一部分协议，成功是可以预料的。不过，忧时甚深之士仍不愿作大的乐观。这不是没有原因的。如停止内战命令是政府与中共协议后宣布的，主要冲突限于一月十三日午夜停止，但直到今天，尚未完全实现，国共双方的将领都有告急的电报。又如政治协商会议陪都各界协进会在重庆市内沧白纪念堂敦请出席会议的代表报告时，竟有特种人物率领暴徒大肆捣乱的怪事发生，而民主建国会在迁川大厦召开星期政治演讲会时，亦有暴徒捣乱未逞。又如爱国政治犯的释放，见报的只有廖承志，七天内查明完全释放的诺言又大打折扣。又如在政治协商会议开会前发生的昆明学生被暴徒拘捕和屠杀的事件，及成都川大学生横被诬陷为犯“危害民国罪”的事件，等等，都是很引起人们失望的。

但在民主大道上的几堆绊脚石，绝对阻碍不了和平、团结、建设新中国的伟业；特种人物近来的暴行，只是反进步集团真面目的新的自己揭露，吓不倒民主运动的战士们的。我们深信在反内战人民的督促下，军调处执行部的工作必能完成，复杂而困难的政治问题必能得到折衷得当的解决，从而内战的灾祸必能永远消弭，民主建设的前途是无可限量的。

曾经有过许多关于中共无诚意实行和平团结的造谣（这些谣言似乎大大的影响了赫尔利，以致他固执的发出了关于中共的错误言论）。福尔曼这本书所叙述的中共对国事的基本主张及对新中国的基本看法，完全反驳了这些谣言的。

这是极重要的一点，读本书时万不能遗漏掉的。在政治协商会议中，中共代表团周恩来、董必武、王若飞、叶剑英、吴玉章、陆定一、邓颖超联名提出的“和平建国纲领草案”，是该党最近的政治主张（提出于一月十六日，发表于廿四日各报）。为帮助读者了解这极重要的一点，特转录于本文之后，以便参考，并为本文作结。

一九四六，一，二六。

中共所提：和平建国纲领草案（附录）

一　总则

中国国民政府鉴于抗日战争业已结束，和平建设新阶段应即开始，爰特邀集各抗日党派代表与社会贤达，举行政治协商会议，共商国是。兹经一致同意：

（甲）确认国内各民主党派应实行长期合作，坚决避免内战，国内任何政治的民族的纠纷，均应以政治方法寻求解决。

（乙）以和平、民主、团结、统一为基础，在蒋主席领导下，迅速结束训政，实施宪政，彻底实行三民主义，建设独立、自由和富强的新中国。

（丙）蒋主席所倡导之政治民主化、军队国家化及党派平等合法为达到和平建国必由之途径。

二　人民权利

（甲）政府应保障全国人民享受一切民主国家在平时应享受之身体、思想、信仰、言论、出版、集会、结社、通讯、居住、迁徙、营业、罢工、游行示威及免于贫困、免于恐怖等自由。

（乙）承认男女平等及各党派的平等合法地位。

（丙）现行法令有与上述两项原则抵触者，应分别予以废止或修正。

（丁）严禁司法和警察以外机关，有拘捕审讯和处罚人民之权，所有侵害人民权利之一切特殊机构应即解散。

（戊）立即无条件释放汉奸以外之一切政治犯。

（己）立即无保留的废除一切新闻、出版、戏剧、电影及邮电等检查制度。

（庚）一切政府机关与军政人员，凡有侵犯上述人民自由之行为者，应予处罚。

三　中央机构

（甲）在结束训政、筹备宪政之过渡期中，必须立即扩大现有的国民政府的基础，改组为能够容纳全国各抗日民主党派及无党派民主人士参加的举国一致的临时的联合的国民政府。

（乙）各党派、无党派民主分子应广泛参加国民政府的一切部门，多数党在政府主要职位中所占的名额，不得超过三分之一。

（丙）改组后的政府应脱离国民党的直接领导，任何一党党费不得由国库开支。

（丁）政府所发布的一切命令，都应经由会议通过及主管机关联署。

（戊）改组后的政府施政方针，应以本纲领为根据。

四　国民大会

（甲）改组后的国民政府，应负责协同政治协商会议商定中国民主宪法草案及国民大会选举法、组织法，并立即根据新的选举法进行选举。

（乙）确定在本年内召开有各党派参加的自由的普选的国民大会，制定宪法，并依据宪法成立正式的民主联合的国民政府。

五　地方自治

（甲）积极推行地方自治，废除现行保甲制度，实行由下而上的普选，成立自省以下各级地方民选政府。

（乙）中央与地方之权限采均权主义，省得自订省宪，各地得采取因地制宜的措施。

（丙）全国各地凡已实行民选的地方政府，应承认其为合法，并定期实行改选。

（丁）未能立刻完成民选的省区，省政府应由各党派及无党派民主人士协商，先成立地方性的临时的民主联合的政府，并确定在一年内完成新的选举，成立正式的民选的省政府。

（戊）收复区的各级地方政府，应与当地各抗日党派及无党派民主人士协商，先成立临时的民主联合的省、市、县政府，再筹备经过自由普选产生的正式的省、市、县政府。

（己）在少数民族区域应承认各民族的平等地位及其自治权。

六　军事改革

（甲）改组军事委员会及其一切附属机关使之成为各抗日党派及无党派代表人士共同领导的机构，以便改革军政，统一军令，实现军队国家化。

（乙）承认一切抗日军队均为国军，公平合理的分期整编全国军队，缩减军额至最低限度，划定军区，厉行平等待遇，确立公正的人事征补、供给与后勤制度。

（丙）根据军队为属于人民之武力的原则，以民主精神教育军队，并以军民关系为军队奖惩之第一个标准，以彻底纠正军队属于任何个人或派系之现象。

（丁）裁兵后地方治安主要应由地方保安队及不脱离生产之人民自卫队维持之。

（戊）确定今后国家军费预算不得超过预算总额百

分之二十五。

（己）一切伪军，无论已否加委，均应拟具妥慎办法，定期解散。

（庚）在华日军尚未缴械者，应限期缴械并限期遣送回国。

七　复员善后

（甲）政府应迅速制定切实而有效之善后复员计划，保证退伍官兵得到职业，妥善照顾残废军人及抗战军人家属与遗族之生活。

（乙）对收复区难民之救济，疫疠之扑灭，币值物价之稳定，敌产逆产之合理处置，接收人员侵占贪污之严格制裁，敌寇破坏公私财产损失之调查，附逆汉奸之检举审判，善后救济总署援华物资之合理分配等，政府应定切实计划，迅谋实施，并倚靠广大人民团体之帮助与监督以促其成。

（丙）切实帮助义民、难民回乡，给予交通上之便利和优待。

（丁）在交通上应迅即修复铁路、公路及车辆船只，全国交通事业应立即脱离军事管理完全为和平事业服务。

（戊）切实执行停止兵役和豁免田赋一年之法令，一切变相之征兵征赋行为均应严禁。

八　财政经济改革

（甲）确立预算决算制度，并平衡收支，取消苛杂，改革税制，收缩通货，稳定币制，国家支出之最大部分，应保证用于经济建设与文化事业。

（乙）为促进中国工业化，定期召开全国经济会议，吸收对发展经建有关之各方面代表人士参加，决定经建方针，制定计划，废止现行统制政策，实行经济民主与企业自由，确立国营与民营种类，取消国营工业之特殊待遇，扶助民间工业，给予大量贷款，轻税及购买原料与运销之便利，使中国经济走上公营、私营及合作经营共同发展的道路，以反对国内官僚资本，并防止外国独占资本之操纵国民生计，严禁官吏利用权势、地位从事于投机垄断、逃税走私、挪用公款与非法使用交通工具的活动。

（丙）实行农业改革，扶助农民组织，推行全国减租，适当的保护佃权，并保证交租，严禁高利盘剥，国家银行应扩大农贷数量，对贫苦农民给予低利贷款，供给农具、耕牛及种子，发展合作事业，开垦荒地，建设水利。

（丁）实行劳动法，改善工人生活，救济失业工人。

九　文化教育改革

（甲）废除党化教育，保障教学自由。

（乙）大学采取教授治校制度，不受校外不合理之干涉。

（丙）普及城乡小学教育，扶助民办学校，推广社会教育，有计划的消灭文盲，提倡卫生，改造中等教育，加强职业训练，扩充师范教育，并根据民主与科学精神，改革各级教学内容。

（丁）在中央与地方预算中充分增加文化教育经费，

并由国家补助民办学校及一切文化教育团体，奖励科学研究、艺术活动及出版事业。

（戊）保障教职员及科学工作者生活，并救济贫苦学生与失学青年。

（己）改组国家宣传机关，使一切国营之报纸通讯社、广播及戏剧电影事业，为全国人民服务，不为少数人所垄断、统制。

三联经典文库第二辑简目

《游击战教程》　明凡 / 著

《游击战术纲要》　陶剑青 / 编著

《汪精卫卖国的理论与实践》　钱俊瑞 / 著

《抗战以来》　韬奋 / 著

《陕行纪实》　楚云 / 著

《随军散记》　沙汀 / 著

《被日寇囚系半载记》　王研石 / 著

《倭营历险记》　房沧浪 / 著

《活跃的新西北》　田影 / 编著

《保卫华北的游击战》　刘清扬　陈北鸥等 / 著

《徐州突围》　《徐州突围》编委会 / 编

《沦亡的平津》　长江　小方等 / 著

《淞沪火线上》　胡兰畦等 / 著

《瞻回东战场》　长江　罗平 / 著

《东线的撤退》　胡兰畦等 / 著

《抗战中的西北》　徐盈 / 著

《鲁闽风云》　徐盈等 / 著

《西线生活》　西北战地服务团集体创作

《中国解放区见闻》　［美］福尔曼著 / 朱进译

《全面抗战论》　潘汉年 / 著

《日本的间谍》　范士白自述 / 尊闻译

《日本大陆政策的真面目》　国难资料编辑社 / 编

《民众动员论》　李公朴 / 著

《中国外交史》　钱亦石 / 编著

《太平洋军事地理》　蒋震华 / 著

《世界经济地理讲话》　思慕 / 著

《列强军力论》　［德］马克斯 · 威纳尔著 / 宾符　仲持　梅益等译

《近代国际关系史》　张铁生 / 著

《太平洋现势手册》　沈志远　石啸冲 / 编著

《近代世界政治史》　钱亦石 / 著

《从战争到和平——一九四五年的世界政治》　乔木 / 著

《战后日本问题》　思慕 / 著

《最近一年间的国际动态（1946.7–1947.6）》　《东北日报》社 / 编

《论政党》　翟放 / 著

《法与宪法》　韩幽桐 / 编著

《中华民国宪法刍议》　罗家衡 / 著

《民主 · 宪法 · 人权——作之民》　费孝通 / 著

《宪法论初步》　潘念之 / 著

《对反民主的抗争》　韬奋 / 著

《农村改进的理论与实际》　江恒源 / 著

《上海产业与上海职工》(上下)　朱邦兴　胡林阁　徐声 / 合编

《陶行知教育论文选辑》　陶行知著 / 方与严编

《中国通货膨胀论》　杨培新 / 著

《中国及其未完成的革命》　H·普拉特著 / 蒋天佐译

《中国的建设问题与人的训练》　卢作孚 / 著

《论中国特殊性及其他》　艾思奇 / 著

《中国经济问题讲话》　钱俊瑞　徐雪寒　王渔邨　姜君辰　骆耕漠 / 合著

《中国经济的道路》　许涤新 / 著

《中国财政之病态及其批判》　孙怀仁 / 著

《官僚资本论》　许涤新 / 著

《五四运动之史的评价》　陈端志 / 著

《中国通史简编》(上下)　中国历史研究会　范文澜 / 主编

《论文学的工农兵方向——读〈在延安文艺座谈会上的讲话〉》　雪苇 / 著

《中国近代史(上编　第一分册)》　武波 / 编著

《文学百题》　傅东华 / 编

《中国史学之进化》　周谷城 / 著

《论民族形式问题》　胡风 / 著

《论批评》　荃麟等 / 著

《中国史纲》(第一卷上下、第二卷上下)　翦伯赞 / 著

《近代中国思想学说史》(1–4)　侯外庐 / 著

《中国政治思想史》（上下）　吕振羽／著
《中国哲学史纲要》　向林冰／著
《中国政治史讲话》　钱亦石／著
《中国社会经济史纲》　王渔邨／著
《新财政学大纲》　千家驹／著
《太平天国革命运动论文集——金田起义百周年纪念》
　华北大学历史研究室／编
《理性与自由——文化思想批评论文集》　胡绳／著
《战斗者的诗人》　黄药眠／著
《国语文法》　曹朴／著
《教育哲学》　张栗原／著
《妇女问题讲话》　杜君慧／著
《婚姻·子女·继承》　沙千里／著
《性教育新论》　布士克　雅各生合著／董秋斯译
《狱中杂感》　杜重远／著
《七人之狱》　沙千里／著
《爱迪生传》　伍况甫／译
《歌德自传》（上下）　歌德著／思慕译
《尼赫鲁自传》　［印度］尼赫鲁著／毕来译
《列宁传》　［苏］凯尔任采夫著／企程　朔望译
《罗斯福总统传》　C．Mackenzie 著／张尚之译
《托尔斯泰传》（1–3）　［英］阿尔麦·莫德著／徐迟译

《革命文豪高尔基》　［美］亚历山大·康恩著 / 韬奋编译

《鲁迅纪念特辑》　新中国文艺社 / 编

《回忆鲁迅先生》　萧红 / 著

《人民文豪鲁迅》　平心 / 著

《亡友鲁迅印象记》　许寿裳 / 著

《鲁迅思想研究》　何干之 / 著

《鲁迅研究》　夏征农 / 编

《过来的时代：鲁迅论及其他》　雪峰 / 著

《电影戏剧表演术》　洪深 / 著

《日常心理漫谈》　［美］约瑟夫·查斯特罗著 / 曾宝施译

《心理常识漫话》　朱智贤　杨云美 / 著

《读书的方法与经验》　王任叔 / 著

《美国黑人生活纪实》　［美］加德维尔　斯坦倍克著 / 董秋斯译

《初访美国》　费孝通 / 著

《事业与成功》　［美］马尔腾著 / 汪原放译

《萍踪寄语（初集）》　韬奋 / 著

《一生的幸福前途——〈生活周刊〉信箱选集》　生活书店 / 编选

《深刻的印象》　生活周刊社 / 编

《海外的感受》　生活书店编译所 / 编

ISBN 978-7-108-04754-0
9 787108 047540 >
定价：26.00元